CD3枚付

英語で聴く 世界を変えた 感動の名スピーチ

GREAT SPEECHES THAT CHANGED THE WORLD

平野次郎
［解説］

鈴木健士
［翻訳］

山中伸弥
ドナルド・トランプ大統領
マララ・ユスフザイ
アウンサン・スーチー
ネルソン・マンデラ
バラク・オバマ大統領
ミハイル・ゴルバチョフ大統領
マザー・テレサ
マーティン・ルーサー・キング牧師
ジョン・F・ケネディ大統領
ウィンストン・チャーチル
アルベルト・アインシュタイン
マハトマ・ガンジー
フランクリン・デラノ・ルーズベルト大統領
ヘレン・ケラー
エイブラハム・リンカーン大統領
カール・マルクス

※本書は、2014年12月に刊行された
『改訂版 CD3枚付 英語で聴く 世界を変えた感動の名スピーチ』
をもとに、増補・改題・再編集したものです。

KADOKAWA

はじめに

アメリカが世界に誇る“発明王”がふたりいる。トーマス・エジソンとヘンリー・フォードだ。トーマス・エジソンは蓄音機を発明して自分の声を歴史に残るものにした。ヘンリー・フォードは自分が作った自動車を乗り回して小旅行を楽しんだ。ふたりの偉業がなかったならば現代人はどれだけつまらない日常を送っていただろう。

トーマス・エジソンがどのような声音でしゃべっていたのかをわれわれは知っている。実際、彼が最初に録音機に吹き込んだのは歌だった。『メリーさんのひつじ』という唱歌で、世界で最初の録音された声である。エジソンがこの歌を自分が発明した蓄音機に吹き込んでみんなに聞かせたことから、世界中で歌われるようになった。“ナマの声”にはそれだけ人を惹きつける力がある。

この本は世界を変えた人々17人の演説やスピーチを集めたものだ。世界を変えたとしたために、いきおい政治家や思想家、社会活動家たちの演説やスピーチが中心になった。イギリスの政治家、アメリカの大統領、アジア・アフリカ・イスラム世界の活動家などが“ナマの声”で登場する。

アメリカのドナルド・トランプ大統領は、スピーチとともに登場する指導者のひとりだ。アメリカ第一主義（America First）を標榜する、よくあるアメリカ人の典型だが、世界を率いる資質を持っているかどうかをめぐっての議論が沸騰（ふっとう）した。エイブラハム・リンカーン、フランクリン・デラノ・ルーズベルト、ジョン・F・ケネディ、バラク・オバマの各大統領と読みかつ聴き比べていただきたい。このうちリンカーン大統領については残念ながら音源がなくナレーターが演説を代読している。エジソンが蓄音機を発明する前の大統領だからだ。

ノーベル賞を受賞した人物のスピーチもある。改訂第2版では新しく日本人の山中伸弥教授が登場した。高邁な思想や哲学、難解な学問的理論を披瀝（ひれき）するノーベル各賞の受賞者が多い中で、2012年にノーベル生理学・医学賞の受賞に輝いた山中教授のスピーチは内容、用語の選択、表現、ウイットなど様々な面で特段に魅力的な完成されたスピーチになっている。聴いているだけで幹細胞研究の世界に引き込まれていくだろう。

科学技術の進歩は人工音声をも創り出した。AIに代表されるロボットが魅力的なテクニックを駆使して人間にメッセージを送ってくる。一方の人間の側はといえば、限りなく魅力的なコミュニケーション能力とスキルの高みを目指す。スピーチセラピーやボイストレーニングのメニューに“菅原道真の声”とか“楊貴妃の話術”が載る時代がやってきてもおかしくはないし、現実に発音、発声、イントネーションなどの訓練を受けている政治家や俳優は少なくない。

17人の“声”についていえば、それぞれの登場者がどのような状況の中で演説・スピーチをしたのか、そのときの社会はどういう状態にあったのかなどについて、それぞれの演説・スピーチの前後に、最小限必要な情報を短く記した。それぞれのときの状況がどのようなものであったのかについての歴史のおさらいである。この本の主役はあくまでオーラルを主体としたコミュニケーションであるが、それとあわせて文字情報も十分に活用していただきたい。

平野　次郎

Contents

改訂第2版　CD3枚付　英語で聴く　世界を変えた感動の名スピーチ

＊ CD1-1･2･3･4, CD2-1･2･5, CD3-1･2･3･5の演説（CD）は原音です。
＊原音を使用しているものは、録音当時のノイズ等が多少入っている場合がございます。予めご了承ください。

Contents

音声ダウンロードについて

本書に付属しているCDの内容を下記の方法でも聴くことができます。記載されている注意事項をよく読み、内容に同意頂ける場合のみご使用ください。

音声をダウンロードする
https://www.kadokawa.co.jp/product/321907000391/

上記のURLへパソコンからアクセスすると、mp3形式の音声データをダウンロードできます。「書籍に付属する音声データのダウンロードはこちら」のダウンロードボタンをクリックして、ダウンロードし、ご利用ください。

【▼】ダウンロードはパソコンからのみとなります。携帯電話・スマートフォンからはダウンロードできません。

【▼】音声はmp3形式で保存されています。お聴きいただくにはmp3ファイルを再生できる環境が必要です。

【▼】ダウンロードページへのアクセスがうまくいかない場合は、お使いのブラウザが最新であるかどうかご確認ください。

【▼】フォルダは圧縮されていますので、解凍したうえでご利用ください。

【▼】音声はパソコンでの再生を推奨します。一部ポータブルプレイヤーにデータを転送できない場合もございます。

【▼】なお、本サービスは予告なく終了する場合がございます。予めご了承ください。

01

山中伸弥 Yamanaka Shinya

ノーベル生理学・医学賞受賞記念講演（一部略）（2012年12月7日）

1962年9月4日大阪府東大阪市生まれ。大阪教育大学附属高等学校、神戸大学医学部、大阪市立大学大学院医学研究科、アメリカ・グラッドストーン研究所を経て、大阪市立大学医学部薬理学教室助手に採用。奈良先端科学技術大学院大学、京都大学再生医科学研究所等で細胞について研究。2012年にノーベル生理学・医学賞を受賞。京都大学iPS細胞研究所所長。

Rodrigo Reyes Marin／アフロ

世界に与えたインパクト

ノーベル賞の世界にはかつて日本人は受賞の対象にはならないといった固定観念があり、日本人最初の受賞者が出るまでに50年の歳月が必要だった。また物理学賞を受賞した湯川秀樹を例外として、日本人に与える賞は人文科学や文学・芸術の分野が意識され、欧米の学者・研究者と肩を並べる人材が選考の対象になるまでには、さらに時間がかかった。20世紀後半の日本の科学技術の進歩やその背景になった自然科学の分野での研究者の輩出は、こうしたかつての固定観念を打ち破った。

①Thank you very much, Professor Urban Lendahl, for your very kind introduction. ②It is a great, great honor for me to be selected as one of the laureates (受賞者) of the Nobel Prize in Physiology or Medicine this year. ③I am grateful to the Nobel Foundation and Karolinska Institutet for having chosen me as one of the laureates. ④Actually, on October 7, just one day before the announcement, I met the president of Karolinska Institutet, Professor Wallberg-Henriksson in Kyoto. ⑤She chaired a session which I attended. ⑥When I said goodbye to her after the session, I thought she winked at me. ⑦I was not sure, but I'm sure now she did.

（中略）

⑧So let me start with this topic: my early days in science. ⑨I have to say I was extremely lucky in two ways when I was a graduate student and I was a postdoctoral fellow. ⑩The first luck was that I had multiple opportunities to observe totally unexpected results that brought me to completely new projects. ⑪The other luck was that I was able to work under two great mentors. ⑫So, in the next few minutes I would like to share with you my experiences when I was a student and a postdoc.

⑬So, as you heard from Professor Lendahl, I started my career as an orthopedic surgeon. ⑭But within a year or two, I realized that I was not talented at all in surgery.

①ご丁寧にご紹介いただきましてありがとうございます、ウルバン・レンダール教授。②今年のノーベル生理学・医学賞受賞者の１人に選ばれたことを大変光栄に思います。③私を選んでくださったノーベル財団とカロリンスカ研究所に感謝したいと思います。④実は10月７日、発表のまさに前日に、カロリンスカ研究所所長のワルベリ・ヘンリクソン教授と京都でお会いしました。⑤彼女は私が参加した会議の議長を務められていました。⑥会議が終わって私がさようならと言うと、彼女が私にウィンクしてくださったような気がしたのです。⑦（そのときは）確信がなかったのですが、今は本当にウィンクしてくださったのだと確信しています。

（中略）

⑧まずこの話題についてお話しします。私が駆け出しの科学者だった頃のことです。⑨大学院生時代、そして博士研究員時代の私は、２つの意味で非常に幸運でした。⑩１つ目の幸運は、全く予想外の結果が生まれて、全く新しいプロジェクトを始めることになる、いくつかの機会に恵まれたということです。⑪もう１つの幸運は、２人の素晴らしい恩師の下で研究を行うことができたということです。⑫ですので、これから数分間、私の学生時代、博士研究員時代の経験についてお話ししたいと思います。

⑬皆さんがレンダール教授からお聞きになったように、仕事を始めた頃の私は、整形外科医でした。⑭しかし１、２年もしないうちに、私には全く手術の才能がないことが分かりました。

①I also realized that even a talented surgeon, talented doctor, cannot help many patients suffering from intractable diseases（難病） and injuries. ② Because of those two reasons, I decided to change my career from a surgeon to a scientist.

③I entered a graduate school in Osaka City University, and I majored in pharmacology. ④I studied the regulation of blood pressure mainly in dogs. ⑤The mentor at that time was Dr. Katsuyuki Miura. ⑥So this is the very first experiment I performed as a graduate student in Osaka City University. ⑦We knew that the intravenous injection（静脈注射） of vasoactive molecule platelet activating factor, "PAF," into dogs caused a transient decrease in blood pressure: transient hypotension（低血圧）. ⑧Dr. Miura hypothesized（仮説を立てる） that this transient decrease in blood pressure is mediated by another molecule, thromboxane A2. ⑨So he asked me to prove his hypothesis. ⑩The experiment was very simple. ⑪I pretreated dogs with an inhibitor（阻害する物） of thromboxane A2. （中略）⑫So we shouldn't observe any decrease in blood pressure if Dr. Miura's hypothesis is correct. ⑬So this experiment was supposed to be a very simple experiment suitable for a beginner, suitable for a failed surgeon. ⑭But what I observed was something totally unexpected. （中略）⑮After a few minutes I observed this kind of very profound and prolonged decrease in blood pressure. ⑯When I looked at this I got so excited that I rushed into Dr. Miura's office and took him to the dog. ⑰Although this result was totally against his hypothesis, Dr. Miura got also very excited.

①またどんなに才能のある外科医、才能のある医者でも、難病や重傷に苦しむ患者を救ってあげられない場合が多々あるということも、分かりました。②この２つが理由で、私は外科医から科学者へと転身することに決めたのです。

③私は大阪市立大学の大学院に入学し、薬理学を専攻しました。④私は主に犬を使って血圧制御について研究しました。⑤当時の指導教官は三浦克之先生でした。⑥これが大阪市立大学の大学院生として、私がまさに初めて行った実験だったのです。⑦血小板活性因子（PAF）を犬に静脈注射すると、血圧が一時的に低下すること、一過性低血圧が起こることが分かっていました。⑧三浦先生の仮説は、このような一時的な血圧の低下の媒介になっているのが、トロンボキサン A2 という別の分子である、というものでした。⑨そこで先生は私にこの仮説を証明するように求めたのです。⑩その実験は非常に簡単なものでした。⑪私は犬にトロンボキサン A2 反応抑制物質で事前処置を施しました。（中略）⑫つまり、もし三浦先生の仮説が正しければ、血圧の低下は観察できないはずです。⑬この実験は、初心者、外科医になり損ねた人間にはうってつけの、とても単純な実験のはずでした。⑭しかし私が観察したのは、全く予想外のことでした。（中略）⑮数分後に私が観察したのは、非常に長い間、著しく血圧が低下するというものだったのです。⑯これを目にした私は、興奮して三浦先生の研究室に駆け込み、先生を犬のところに連れていきました。⑰この結果は先生の仮説とは正反対のものだったのですが、三浦先生も非常に興奮していました。

① So, for the following two years I examined the mechanisms of this unexpected result and that became my thesis after two years.

② So then I decided to continue my training as a scientist in the United States. ③ I became a postdoc at the Gladstone Institute of Cardiovascular Diseases in San Francisco. ④ My mentor at that time was Dr. Thomas Innerarity.（中略）⑤ He was very interested in one gene 遺伝子, APOBEC1, which he thought (was) important in cholesterol regulation. ⑥ He hypothesized that forced expression of APOBEC1, this gene, in liver would lower plasma cholesterol level. ⑦ So, by using APOBEC1, he thought he may be able to prevent atherosclerosis. ⑧ So he asked me to prove his hypothesis by making transgenic 遺伝子組み換えの mice overexpressing APOBEC1 in liver.

⑨ So I worked very hard day and night and I was able to generate transgenic mice expressing high amount of APOBEC1 in a liver-specific ～特異的な manner. ⑩ One day, in early morning, a technician working with me rushed into me. ⑪ She was taking care of these mice. ⑫ And she said something strange to me. ⑬ She said, "Shinya, your mice! Many of your mice are pregnant." ⑭ But they are male. ⑮ So I got confused. ⑯ So I went to the animal facility to check the mice, and I found she was right. ⑰ Many of my mice, both male and female, they looked like they were pregnant. ⑱ So I further looked into what was going on. ⑲ And I found this totally unexpected result. ⑳ It was not babies. ㉑ It was this huge liver cancers.

①このようにして、その後の２年間、私はこの予想外の結果の仕組みを研究し、それが２年後に私の論文になったのです。

②そして私はアメリカで科学者としての訓練を続けることに決めました。③私はサンフランシスコのグラッドストーン心臓血管病研究所で博士研究員になりました。④当時の指導教官はトーマス・イネラリティ先生。（中略）⑤先生はAPOBEC1という遺伝子がコレステロールの調整に重要であると考えて、非常に興味を持っていました。⑥先生の仮説は、このAPOBEC1を肝臓で強制的に発現させると、血漿コレステロールが低下するというものでした。⑦ですからAPOBEC1を使うことで、アテローム性動脈硬化を防ぐことができるかもしれないと考えたのです。⑧それで先生は私に、肝臓でAPOBEC1を過剰発現させた遺伝子導入マウスを作って、この仮説を証明するように求めました。

⑨そこで私は日夜研究に打ち込み、肝臓特異的に大量のAPOBEC1を発現している遺伝子導入マウスを生み出すことができたのです。⑩ある日の早朝に、私と作業をしていた助手が駆け込んできました。⑪彼女はこれらのマウスの世話をしていました。⑫そして変わったことを口にしたのです。⑬「伸弥、あなたのマウス！　妊娠しているのがたくさんいますよ」と。⑭でも、私のマウスはオスなのです。⑮ですから私は混乱しました。⑯そこで動物飼育施設に行って、マウスを確認してみると、彼女の言った通りでした。⑰私のマウスの多くが、オスもメスも、妊娠しているようだったのです。⑱そこで何が起こっているのか、さらに見てみました。⑲すると、全く予想外の結果が出たのです。⑳それは赤ちゃんではありませんでした。㉑巨大な肝臓がんだったのです。

（中略）

①So I tried to understand the cause of this unexpected cancer, tumors. ②And I was able to identify one new gene which I designated（～と呼ぶ） "NAT1," novel APOBEC1 target No.1, a very straightforward name. ③So APOBEC1 is an enzyme（酵素）. ④I identified NAT1 as a new substrate, a new target of APOBEC1. ⑤And from its sequence, I predicted that NAT1 functioned as a tumor suppressor gene（抑制遺伝子）. ⑥And I thought NAT1 is responsible for the tumor, for the cancer I observed in APOBEC1 transgenic mice. ⑦So I generated knockout mice and also knockout ES cells to prove my own hypothesis. ⑧But here again, I obtained a totally unexpected result. ⑨It turned out that NAT1 is essential for the pluripotency（多能性） of embryonic stem cells, ES cells.

（中略）

⑩As all of you know, embryonic stem cells, ES cells, were first derived from（～から抽出する） mouse embryos in 1981 by Dr. Sir Martin Evans and also by Dr. Gail Martin. ⑪ES cells have two important properties（特徴）. ⑫The first one is their rapid proliferation, is their immorta... ⑬Oh my God, I promise I didn't do this on purpose. ⑭Immortality. ⑮The other important... I'm sorry for ES cells. ⑯The other important property is pluripotency, their ability to differentiate（分化する） into virtually all types of somatic cells and germ cells that exist in our body. ⑰And it turned out that NAT1 is essential for pluripotency.

（中略）

①さて、私はこの予期せぬがん、腫瘍の原因について理解しようとしました。②そして１つ新しい遺伝子を突き止めることができ、それにNAT1、つまり「新型APOBEC1ターゲット第１号」の頭文字を取った、とても簡単な名前を付けました。③APOBEC1は酵素です。④私はNAT1がAPOBEC1の新たな基質、ターゲットであると確認しました。⑤そしてその配列から、NAT1ががん抑制遺伝子の働きをすると予想しました。⑥そしてNAT1が、その腫瘍、私がAPOBEC1遺伝子導入マウスで観察したがんの原因だと考えました。⑦ですから私は、ノックアウトマウス（特定の遺伝子を欠損させたマウス）と、ノックアウトES細胞を作って、自分の仮説を証明しようとしました。⑧しかしここでも、全く予想していなかった結果になりました。⑨NAT1が胚性幹細胞、ES細胞の多能性に必要不可欠であることが分かったのです。

（中略）

⑩皆さんご存知のように、胚性幹細胞、ES細胞を1981年に初めてマウスの胚から作成したのは、マーティン・エヴァンス博士と、ゲイル・マーティン博士でした。⑪ES細胞には２つ重要な特徴があります。⑫１つ目は急速に増殖すること、ふ…（スライドではimmortality「不死身」がimmorality「ふしだら」になっており、場内爆笑）。⑬何てことだ、信じてください、わざとやったわけではないんです。⑭（ふしだらではなく）不死身ですから。⑮もう１つの大事な……ES細胞に申し訳ない。⑯もう１つの大事な特徴は多能性、つまり体内に存在するほとんどすべての種類の体細胞や生殖細胞に分化ができる能力です。⑰そしてNAT1が多能性に必要不可欠であることが分かりました。

①When I generated NAT1 knockout ES cells, they can proliferate normally but they can no longer differentiate. ②So NAT1 is essential for pluripotency. ③This unexpected result, again, changed my project from cancer to stem cells, to ES cells.

④But again, when I was working on NAT1, when I was working on NAT1-deficient ES cells, I had to go back to Japan, and I suffered from a disease which I designated "PAD." ⑤Well, you may wonder what it is, PAD. ⑥Actually, I coined the word. ⑦PAD stands for（～を表す）Post-America Depression. ⑧So, you know, I had such a great time in San Francisco, at Gladstone, in many ways. ⑨After coming back to Japan I was depressed. ⑩I was very badly depressed that I was about to quit from science.

⑪But very luckily, two events happened in my life that rescued me from PAD. ⑫The first event was the generation of human ES cells by Dr. Jamie Thomson in Wisconsin. ⑬Before his success, we only had mouse embryonic stem cells. ⑭I was just using mouse embryonic stem cells. ⑮I was often told by my colleagues, "Shinya, that mouse cells may be interesting, but you should do something more related to human disease, human medicine." ⑯So that was one reason for my PAD. ⑰But because of his success, it turned out that ES cells are very related to human medicine because human ES cells share the two important properties with mouse ES cells.

①NAT1ノックアウトES細胞を生成すると、普通に増殖することはできても、分化することができなくなっていました。②ですからNAT1が多能性に必要不可欠なのです。③このように予想外の結果が出たことで、私のプロジェクトは、がんから幹細胞、そしてES細胞へとまた変わっていきました。

④しかし再び、NAT1やNAT1欠失ES細胞に取り組んでいるときに、日本に帰国しなければならなくなり、私はPADとも言うべき病気に苦しみました。⑤皆さんPADとは一体何だろうと思われているかもしれません。⑥実は私が作った言葉です。⑦「ポスト・アメリカ・ディプレション（アメリカ帰国後のうつ）」の略です。⑧私はサンフランシスコのグラッドストーンでいろいろと素晴らしい時を過ごしました。⑨日本に帰国して、落ち込んでしまったのです。⑩うつの状態があまりにひどかったため、科学をやめるところでした。

⑪しかしとても幸運なことに、2つの出来事が人生で起こり、私をPADから救ってくれたのです。⑫1つ目の出来事はウィスコンシンのジェイミー・トムソン博士がヒトES細胞を作成したことです。⑬博士が成功する前は、マウスの胚性幹細胞しかありませんでした。⑭私もただマウスの胚性幹細胞を使っていたのです。⑮よく同僚に「伸弥、そのマウスの細胞も面白いかもしれないけど、もっと人間の病気、人間の医学に関係したものをやった方がいいよ」と言われていました。⑯それがPADの一因にもなっていたのです。⑰しかし博士が成功したことで、ES細胞が人間の医学に非常に関係していることが分かりました。ヒトES細胞はマウスES細胞と2つの重要な特徴を共有しているからです。

①We can expand human ES cells as much as we want and then we can make various types of human somatic cells from human ES cells, such as dopaminergic neuron, neural stem cells, cardiac cells, and so on. ②Then, we should use these human cells to treat patients suffering from various diseases and injuries, such as Parkinson's disease and spinal cord (脊髄) injuries and so on.

（中略）

③The second event which rescued me from PAD was my promotion to Nara. ④In 1999, I became a principal investigator in Nara Institute of Science and Technology. ⑤So I had my own laboratory for the first time when I was 37 years old. （中略）
⑥And I made this as the long-term goal or vision of my lab: I want to make ES-like stem cells, not from embryos but from somatic cells from patients' own cells. ⑦By doing this, we should be able to overcome the moral, ethical hurdle of human ES cells.

（中略）

①ヒトES細胞を好きなだけ増やせば、ヒトES細胞からドーパミン産生神経細胞、神経幹細胞、心臓細胞といった、人間の様々な体細胞を作ることができます。②私たちはこのようなヒト細胞を使って、パーキンソン病や脊髄損傷といった様々な病気やけがに苦しむ患者たちを治療するべきなのです。

（中略）

③私をPADから救ってくれた２つ目の出来事は、奈良で昇進したことです。④ 1999年、私は奈良先端科学技術大学院大学で主任研究員になりました。⑤ですから私は37歳にして初めて自分の研究室を持ったのです。（中略）⑥そして自分の研究室の長期的な目標、ビジョンにしたのが、胚からではなく、患者自身の体細胞からESのような幹細胞を作りたい、というものでした。⑦そうすることで、ヒトES細胞の道徳的、倫理的な障害を乗り越えることができるはずだと。

（中略）

①I thought there should be factors that can reprogram somatic cells back into the embryonic state. ②By identifying such reprogramming factors, we should be able to make ES-like stem cells directly from somatic cells. ③However, I had no idea how many factors were required. ④It could be just one, it could be 10, it could be 100 or even more. ⑤So I had no idea how long it would take to identify these reprogramming factors. ⑥It could take 10 years, 20 years, 30 years, or even longer. ⑦But very luckily, it didn't take that long. ⑧It took us six years before we identified these four factors. ⑨In 2006, we were able to report this finding. ⑩By introducing the combination of only four transcription factors, Oct3/4, Sox2, c-Myc and Klf4, into mouse skin fibroblasts, we can actually convert somatic cells into ES-like stem cells, which I designated "induced pluripotent stem cells," iPS cells. ⑪In the following year, 2007, we and others have shown that the same factor combination can make human iPS cells.

（中略）

①私は体細胞を胚形成期の状態にリプログラミングすることのできる因子があるはずだと考えました。②そのようなリプログラミング因子を見つければ、ESのような幹細胞を体細胞から直接作れるはずだと。③しかしながら、そういった因子がいくつ必要なのかということは全く分かりませんでした。④たった1つかもしれないし、10個、100個、それともそれ以上かもしれないのです。⑤ですから、リプログラミング因子を見つけるのにどのくらいの期間が必要なのか分かりませんでした。⑥10年、20年、30年、それともそれ以上かかってしまうか。⑦しかしとても幸いなことに、それほど時間はかかりませんでした。⑧6年で、必要な4つの因子を見つけることができたのです。⑨2006年にこの発見を発表することができました。⑩Oct3/4、Sox2、c-Myc、Klf4という、たった4つの転写因子を組み合わせてマウスの皮膚の線維芽細胞に入れることで、実際に体細胞をESのような幹細胞に変えることができ、それを私は「人工多能性幹細胞」、つまりiPS細胞と名付けました。⑪翌2007年には、私たちと他の研究者が同じ因子を組み合わせてヒトiPS細胞が作れることを示しました。

（中略）

① Finally, also with me today are my family members. ② I have my wife, my mother-in-law, my daughters, my brother-in-law, my sister. ③ Well, my own mother is in Stockholm but she cannot make it (都合をつける) to this hall today. ④ Well, she said, "Shinya, your English is terrible, so I won't understand. I'll stay." ⑤ Well, as you know, being a scientist is full of joys but at the same time, it's full of stress. ⑥ So without continuous support from my family, I could have never been here today. ⑦ So I'm very, very grateful to my family. ⑧ I miss my father, who passed away (亡くなる) 25 years ago, and my father-in-law, who passed away earlier this year. ⑨ I hope, I believe they are enjoying this moment together somewhere. ⑩ Well, it was my father who talked me into medicine, and it was my father-in-law who showed me how a doctor should be. ⑪ My father-in-law was a doctor for a long time. ⑫ So I really want to, I really need to bring our technology, iPS cell technology, into clinics, into patients. ⑬ I really have to do that before I meet both of my fathers in the near future. ⑭ So, thank you very much for your kind attention. ⑮ Tusen tack!

①最後に、今日私と一緒に家族も来てくれています。②私には妻、義母、娘たち、義兄、妹がいます。③実母はストックホルムにはいますが、今日この会場には来られません。④まあ、母は「伸弥、お前の英語はひどいから私には分からないだろう。だからここにいるよ」と言っていました。⑤ご存知のように、科学者をやっていると、うれしいことも多いのですが、同時にストレスも溜まります。⑥ですから家族がずっと支えてくれなければ、私が今日この場にいることは決してなかったでしょう。⑦家族にはとても、とても感謝しています。⑧ 25 年前に亡くなった父、そして今年の初めに亡くなった義父がいないのを寂しく思います。⑨ 2 人がどこかで一緒にこの瞬間を楽しんでいてくれれば良いですし、楽しんでいてくれると思います。⑩医学の道に進むように説得してくれたのは父で、医者の在り方を教えてくれたのは義父でした。⑪義父は長い間医者でした。⑫ですから、本当に、私たちの技術、iPS 細胞の技術を、診療所に、患者に、届けたいと思いますし、また届ける必要があると思っています。⑬近い将来 2 人の父に会う前に本当にやり遂げなければなりません。⑭ご清聴ありがとうございました。⑮トゥーセンタック（スウェーデン語でありがとう）！

山中伸弥
「ノーベル生理学・医学賞受賞記念講演」の背景

background

▶記念スピーチはノーベル賞受賞者の最大の見せ場

ノーベル賞の授賞式は毎年12月10日にスウェーデンのストックホルムとノルウェーのオスロで開かれる。物理学、化学、生理学・医学、文学それに経済学（正式にはアルフレッド・ノーベル記念経済学スウェーデン国立銀行賞と呼ばれる）の5分野の賞がストックホルムで、平和賞がオスロでそれぞれ授与される。いずれの会場でも受賞者たちは燕尾服もしくは民族衣装に身を包んで出席し、金色に輝くメダルと賞金を受け取り、記念のスピーチをするのが慣わしだ。川端康成氏のように紋付袴で出席した受賞者もいれば、佐藤栄作氏のように燕尾服で出席した受賞者もいる。山中伸弥教授は燕尾服だった。

受賞者たちの成果は既にメディアによって広く報じられているから、スピーカーたちの腕の見せどころ、知恵の絞りどころは、スピーチの内容をいかに魅力的なものにするかという点に絞られる。山中教授のスピーチは聞いて分かるように、内容、演出ともに素晴らしいものだった。

▶ユーモアに溢れていた山中教授のスピーチ

山中教授はユーモアの人だ。氏はコミュニケーションでユーモアが果たす役割を十分熟知している。ノーベル賞を授与されたと知ったときのエピソードがまず秀逸だ。ノーベル賞委員会の責任者から日本の自宅に国際電話がかかってきたとき、教授は自宅で壊れた電気洗濯機の修理をしていたという。電気洗濯機の修理を優先させるべきかそれともノーベル賞委員会への応答を優先させるべきか、二者択一を迫られて一瞬とまどう教授の姿が目に浮かぶ。話の結論は山中教授がノーベル賞の賞金と新しい電気洗濯機の購入費用の双方を獲得するというところに落ち着く。購入費用は山中教授のノーベル賞受賞を知った閣僚有志がお祝い金として用意した16万円。まるで落語の世界にいるようだ。

コミュニケーションの達人たちが守る3つの原則がある。“難しいことを易しく”“易しいことを深く”そして“深いことを面白く”である。この3原則は守るのが容易なようで決してそうではない。易しく深く語りかけても面白くなければ聴き手は逃げてしまうし、難しい話はやはり難しい。山中教授の場合はどうかと言えば、この3原則をほどほどに守っている。

これは天賦の才能から来たものなのか、それとも訓練の賜物なのかにわかには断じられないが、おそらくは天賦の才と厳しい訓練の双方が作り上げたものなのであろう。これは山中教授がマスメディアを通じて一般人に語りかけるときのことを見聞きすればよく分かる。

実を言うとこうしたプレゼンテーションのやり方は日本人が最も不得手とするものである。しかしそれでは人間の意思は他者には伝わらない。優れたコミュニケーターは同時に優れた伝導師であるということを、山中教授はおそらく知っているに違いない。

アメリカ・サンフランシスコの研究所にいたときの実験用マウスの“性転換”をめぐる研究助手とのやり取りは必聴である。ある日突然、多くの実験用マウスがメスになっていると研究助手から告げられる。研究所が飼育していたマウスにメスはいないはずだ。このミステリアスな性転換は、性転換ではなくて研究の結果、つまりは予想外の研究結果で、そして今回のノーベル賞につながる研究へと導くものだったのだ。研究者たちが柔軟な頭の持ち主でなかったら、単なる実験の失敗として片付けられてしまっていたかもしれないことであった。

▶ノーベル賞を受賞した歴代の日本人

最後に湯川秀樹博士から始まった日本人ノーベル賞受賞者を記録と参考のために一覧にしておく。

ノーベル賞を受賞した日本人の数は、昨年（2019年）で25人、外国籍に変わったものの日本にルーツを持つ3人を加えると合わせて28人になった。

1湯川秀樹（物理学）2朝永振一郎（物理学）3川端康成（文学）4江崎玲於奈（物理学）5佐藤栄作（平和）6福井謙一（化学）7利根川進（生理学・医学）8大江健三郎（文学）9白川英樹（化学）10野依良治（化学）11小柴昌俊（物理学）12田中耕一（化学）13小林誠（物理学）14益川敏英（物理学）15下村脩（化学）16鈴木章（化学）17根岸英一（化学）18山中伸弥（生理学・医学）19赤﨑勇（物理学）20天野浩（物理学）21大村智（生理学・医学）22梶田隆章（物理学）23大隅良典（生理学・医学）24本庶佑（生理学・医学）25吉野彰（化学）26南部陽一郎（物理学）27中村修二（物理学）28カズオ・イシグロ（文学）

02 ドナルド・トランプ大統領
Donald John Trump

就任演説（2017年1月20日）

AP／アフロ

1946年6月14日アメリカ・ニューヨーク州生まれ。地元のフォーダム大学に入学し、ペンシルベニア大学ウォートン校にも学ぶ。マンハッタンで不動産ビジネスを始めて成功し、テレビのバラエティー番組の人気司会者となる。2015年に政界への進出を表明、翌2016年の大統領選挙でヒラリー・クリントン候補を破って当選。

世界に与えたインパクト

2016年のアメリカ大統領選挙で、アメリカ国民の国家と政治に対する意識は逆戻りした。自分たちの指導者として必要なのは飛び抜けたエリートではなく、普通のアメリカ人であるということを有権者たちが投票行動で示したからだ。8年前にアフリカ系の大統領を選び、次は女性を選ぶ番だと意気込んでいたアメリカのエリートたちはこのことを察してヒラリー・クリントンに“待合室で待機する”ことを求めた。その結果成立したのが、ドナルド・トランプという選択であった。

① Chief Justice Roberts, President Carter, President Clinton, President Bush, President Obama, fellow Americans, and people of the world: thank you.

② We, the citizens of America, are now joined in a great national effort to rebuild our country and restore its promise for all of our people. ③ Together, we will determine the course of America and the world for many, many years to come. ④ We will face challenges. ⑤ We will confront hardships. ⑥ But we will get the job done.

⑦ Every four years, we gather on these steps to carry out the orderly and peaceful transfer of power, and we are grateful to President Obama and First Lady Michelle Obama for their gracious aid throughout this transition. ⑧ They have been magnificent. ⑨ Thank you.

⑩ Today's ceremony, however, has very special meaning. ⑪ Because today we are not merely transferring power from one administration to another, or from one party to another — but we are transferring power from Washington, D.C. and giving it back to you, the people.

⑫ For too long, a small group in our nation's capital has reaped（得る） the rewards of government while the people have borne the cost. ⑬ Washington flourished, but the people did not share in its wealth. ⑭ Politicians prospered, but the jobs left, and the factories closed. ⑮ The establishment（支配者層） protected itself, but not the citizens of our country.

①ロバーツ最高裁長官、カーター大統領、クリントン大統領、ブッシュ大統領、オバマ大統領、アメリカ国民の皆さん、世界の皆さん、ありがとうございます。

②私たちアメリカ市民は今、国民一丸となって懸命に努力し、この国を再建し、全国民への約束を取り戻そうとしています。③私たちが共に定めていくのは、今後何年も続いていくこととなるアメリカと世界の進路です。④難題に直面するでしょう。⑤困難と対峙することでしょう。⑥しかし私たちはその作業を成し遂げます。

⑦４年ごとに、私たちはこの階段に集まり、秩序ある平和的な形で権限を移行しますが、オバマ大統領とファーストレディのミシェル・オバマ夫人が寛大に支援してくれたことに、感謝します。⑧おふたりともお見事でした。⑨ありがとうございます。

⑩しかし今日の式典には非常に特別な意味合いがあります。⑪なぜなら私たちは今日、ただ政権から政権へ、政党から政党へと、権力を移行しているわけではなく、権力をワシントンからアメリカ国民の皆さんに、お返ししようとしているからです。

⑫あまりに長い間、この国の首都の一握りの人たちが政府の恩恵を受ける一方で、国民が犠牲を払ってきました。⑬ワシントンは繁栄しましたが、国民がその富を共有することはありませんでした。⑭政治家は豊かになりましたが、仕事は去り、工場は閉鎖されました。⑮支配階級は自らを守りましたが、わが国の市民を守ることはなかったのです。

①Their victories have not been your victories; their triumphs have not been your triumphs; and while they celebrated in our nation's capital, there was little to celebrate for struggling families all across our land.

②That all changes, starting right here, and right now, because this moment is your moment: it belongs to you. ③It belongs to everyone gathered here today and everyone watching all across America. ④This is your day. ⑤This is your celebration. ⑥And this, the United States of America, is your country.

⑦What truly matters (重要である) is not which party controls our government, but whether our government is controlled by the people. ⑧January 20, 2017, will be remembered as the day the people became the rulers of this nation again. ⑨The forgotten men and women of our country will be forgotten no longer. ⑩Everyone is listening to you now. ⑪You came by the tens of millions (数千万) to become part of a historic movement the likes of (～のようなもの) which the world has never seen before.

⑫At the center of this movement is a crucial conviction: that a nation exists to serve its citizens. ⑬Americans want great schools for their children, safe neighborhoods for their families, and good jobs for themselves. ⑭These are just and reasonable demands of righteous people and a righteous public. ⑮But for too many of our citizens, a different reality exists: ⑯mothers and children trapped in poverty in our inner cities; ⑰rusted-out factories scattered like tombstones across the landscape of our nation;

①彼らの勝利は皆さんの勝利ではありませんでした。彼らの成功は皆さんの成功ではありませんでした。彼らがわが国の首都で祝杯を挙げても、国中で苦しい生活をしている家庭には、祝うべきことはほとんどなかったのです。

②それがすべて変わります。まさにここで、まさに今、始まるのです。この瞬間は皆さんの瞬間、皆さんのものだからです。③今日ここにお集まりの皆さん、全米で観ている皆さんのものなのです。④今日は皆さんの日です。⑤皆さんのお祝いなのです。⑥そしてこの国、アメリカ合衆国は、皆さんの国なのです。

⑦本当に大事なのは、どちらの政党が政府を動かしているのかではなく、政府を動かしているのが国民であるかどうかなのです。⑧2017年1月20日は、国民が再びこの国の統治者となった日として記憶に留まることになるでしょう。⑨わが国で忘れ去られていた人々が忘れ去られるようなことは、もうありません。⑩今は、誰もが皆さんの声に耳を傾けています。⑪何千万人もの人たちが、世界がこれまで目の当たりにしたことがないような、歴史的な運動の一部となっています。

⑫この運動の中心には、大事な信念があります。国家は市民に奉仕するために存在している、という信念です。⑬アメリカ人が求めているのは、子供のための素晴らしい学校、家族のための安全な地域、そして自分自身のための良い仕事です。⑭正義の人々が、正当で道理にかなった要求をしているのです。⑮しかしこれとは違う現実の中にいる人が、あまりに多い。⑯母子が市街地（のスラム）で貧困から抜け出せずにいます。⑰さび付いた工場が墓石のように国中に散らばっています。

① an education system, flush with ～を豊富に持って cash, but which leaves our young and beautiful students deprived of ～を奪われている all knowledge; ② and the crime and the gangs and the drugs that have stolen too many lives and robbed our country of so much unrealized potential 潜在的可能性.

③ This American carnage 殺りく stops right here and stops right now. ④ We are one nation, and their pain is our pain. ⑤ Their dreams are our dreams; and their success will be our success. ⑥ We share one heart, one home, and one glorious destiny. ⑦ The oath of office 就任の宣誓 I take today is an oath of allegiance to all Americans.

⑧ For many decades, we've enriched foreign industry at the expense of ～を犠牲にして American industry; subsidized the armies of other countries while allowing for ～を許す the very sad depletion of our military. ⑨ We've defended other nations' borders while refusing to defend our own, and spent trillions and trillions of dollars overseas while America's infrastructure has fallen into disrepair and decay. ⑩ We've made other countries rich while the wealth, strength and confidence of our country has dissipated over the horizon. ⑪ One by one, the factories shuttered and left our shores, with not even a thought about the millions and millions of American workers that were left behind. ⑫ The wealth of our middle class has been ripped from their homes and then redistributed all across the world.

⑬ But that is the past. ⑭ And now we are looking only to the future.

①教育制度は金があり余っているのに、若く素晴らしい学生たちが知識を奪われたままでいます。②犯罪、ギャング、薬物のせいで、あまりに多くの命が失われ、多くの可能性が実現することなくわが国から奪われてしまっています。

③このようなアメリカ殺りくは、まさに今ここで終わります。④私たちはひとつの国であり、彼らの痛みは私たちの痛みなのです。⑤彼らの夢は私たちの夢であり、彼らの成功は私たちの成功なのです。⑥私たちは、ひとつの心、ひとつの家、ひとつの輝かしい運命を共有しているのです。⑦私が今日行う就任の宣誓は、アメリカ全国民に対する忠誠の誓いです。

⑧何十年にもわたって、外国の産業を豊かにするために、アメリカの産業を犠牲にしてきました。他国の軍隊を援助する一方で、わが国の軍隊がとてもみじめに劣化するのを許してきました。⑨他国の国境を守る一方で、自国の国境を守るのは拒否し、海外で何兆ドルも費やす一方で、アメリカのインフラは荒廃し衰退してきたのです。⑩他国を豊かにする一方で、私たちの国の富、力、自信は、地平線の彼方に消えていったのです。⑪ひとつまたひとつと工場が閉鎖になり、置き去りにされた何百万人ものアメリカ人労働者のことなど一切お構いなしに、この国を去っていきました。⑫わが国の中産階級の富は家庭から奪い去られ、世界中に再分配されてしまったのです。

⑬しかしそれも過去のことです。⑭今私たちの目はただ未来に向いています。

① We assembled here today are issuing a new decree to be heard in every city, in every foreign capital, and in every hall of power. ② From this day forward, a new vision will govern our land. ③ From this day forward, it's going to be only America First. ④ America First.

⑤ Every decision on trade, on taxes, on immigration, on foreign affairs, will be made to benefit American workers and American families. ⑥ We must protect our borders from the ravages (破壊行為) of other countries making our products, stealing our companies, and destroying our jobs. ⑦ Protection will lead to great prosperity and strength. ⑧ I will fight for you with every breath in my body, and I will never, ever let you down.

⑨ America will start winning again, winning like never before. ⑩ We will bring back our jobs. ⑪ We will bring back our borders. ⑫ We will bring back our wealth. ⑬ And we will bring back our dreams. ⑭ We will build new roads, and highways, and bridges, and airports, and tunnels, and railways all across our wonderful nation. ⑮ We will get our people off of welfare and back to work, rebuilding our country with American hands and American labor. ⑯ We will follow two simple rules: buy American and hire American.

⑰ We will seek friendship and goodwill with the nations of the world, but we do so with the understanding that it is the right of all nations to put their own interests first. ⑱ We do not seek to impose (押し付ける) our way of life (生活様式) on anyone, but rather to let it shine as an example. ⑲ We will shine for everyone to follow.

①今日ここに結集した私たちは、すべての都市、すべての外国の首都、すべての権力の回廊で聞かせるべく、新たな布告を発します。②今日からは、新たなビジョンがわが国を統治します。③今日からは、ただアメリカ第一になるのです。④アメリカ第一です。

⑤貿易、税金、移住、外交に関する決定は、すべてアメリカの労働者とアメリカの家庭の利益になるように行います。⑥私たちの製品を作り、私たちの会社を盗み、私たちの仕事を破壊するような国々による侵害から、私たちは自分たちの国境を守らなくてはなりません。⑦保護こそが偉大な繁栄と力に繋がるのです。⑧私は全身全霊をかけて皆さんのために戦い、皆さんを失望させることは、決してありません。

⑨アメリカは再び勝利し始め、かつてないほどに勝利していくことでしょう。⑩仕事を取り戻します。⑪国境を取り戻します。⑫富を取り戻します。⑬そして夢を取り戻します。⑭新しい道路、幹線道路、橋、空港、トンネル、線路を、この素晴らしい国中で建設していきます。⑮国民が生活保護から離れて、仕事に戻れるようにし、この国をアメリカ人の手で、アメリカ人の労働で、再建していきます。⑯私たちは２つの単純なルール、つまりアメリカの物を買い、アメリカ人を雇うというルールに従うのです。

⑰私たちは世界の国々との友好と親善を求めていきますが、それはあくまでもすべての国が自国の利益を優先する権利を持っているということを理解した上でのことです。⑱自分たちの生活様式を誰かに押し付けようとせず、模範として光り輝かせていきます。⑲私たちはすべての人が従うような輝きを放つでしょう。

①We will reinforce old alliances and form new ones, and unite the civilized world against radical Islamic terrorism, which we will eradicate（撲滅する） completely from the face of the Earth.

②At the bedrock（基盤） of our politics will be a total allegiance to the United States of America, and through our loyalty to our country, we will rediscover our loyalty to each other. ③When you open your heart to patriotism, there is no room（余地） for prejudice.

④The Bible tells us, "How good and pleasant it is when God's people live together in unity." ⑤We must speak our minds openly, debate our disagreements honestly, but always pursue solidarity. ⑥When America is united, America is totally unstoppable. ⑦There should be no fear — we are protected, and we will always be protected. ⑧We will be protected by the great men and women of our military and law enforcement（警察） and, most importantly, we will be protected by God.

⑨Finally, we must think big and dream even bigger. ⑩In America, we understand that a nation is only living as long as it is striving. ⑪We will no longer accept politicians who are all talk and no action, constantly complaining but never doing anything about it.

⑫The time for empty talk（無駄話） is over. ⑬Now arrives the hour of action. ⑭Do not allow anyone to tell you that it cannot be done. ⑮No challenge can match the heart and fight and spirit of America. ⑯We will not fail. ⑰Our country will thrive and prosper again.

①昔からの同盟関係を強化し、新たな同盟を結び、文明世界を団結させてイスラム過激派のテロと戦い、地上から完全に撲滅していきます。

②私たちの政治の基盤となるのはアメリカ合衆国への完全な忠誠となり、この国に忠誠を尽くすことで、再び国民が互いに忠誠を尽くすようになっていくのです。③愛国心に心を開けば、偏見の余地はありません。

④聖書は「神の民が団結して共に生きるならば、どれほど素晴らしく、喜ばしいことであろうか」と説いています。⑤私たちは率直に本音を語り、意見の相違があれば誠実に議論しなくてはなりませんが、常に団結を求めていかなくてはなりません。⑥アメリカが団結すれば、止めることは決してできません。⑦恐れることはありません。私たちは守られており、常に守られていくのです。⑧私たちはこの国の軍隊と警察の素晴らしい人々に守られ、そして何よりも大事なのが、神に守られるということです。

⑨最後に、私たちは志を高く持ち、一層大きな夢を抱かなくてはなりません。⑩私たちアメリカ人は、努力なくして国家が生きながらえることはないと理解しています。⑪口先だけで実行が伴わず、文句ばかりで何もしない政治家を、これ以上受け入れることはありません。

⑫無駄話の時間は終わりです。⑬行動する時がやってきました。⑭それは無理だなどと、誰にも言わせてはなりません。⑮アメリカの熱意、闘争心、気力があれば、乗り越えられない難題などないのです。⑯私たちが失敗することはありません。⑰この国は再び繁栄し、成功するのです。

①We stand at the birth of a new millennium, ready to unlock the mysteries of space, to free the Earth from the miseries of disease, and to harness (利用する) the energies, industries and technologies of tomorrow. ②A new national pride will stir our souls, lift our sights, and heal our divisions.

③It's time to remember that old wisdom our soldiers will never forget: that whether we are black or brown or white, we all bleed the same red blood of patriots, we all enjoy the same glorious freedoms, and we all salute the same great American Flag. ④And whether a child is born in the urban sprawl of Detroit or the windswept plains of Nebraska, they look up at the same night sky, they fill their heart with the same dreams, and they are infused with (～を注ぐ) the breath of life by the same almighty Creator (創造主).

⑤So to all Americans, in every city near and far, small and large, from mountain to mountain, from ocean to ocean, hear these words: ⑥You will never be ignored again. ⑦Your voice, your hopes, and your dreams, will define our American destiny. ⑧And your courage and goodness and love will forever guide us along the way. ⑨Together, we will make America strong again. ⑩We will make America wealthy again. ⑪We will make America proud again. ⑫We will make America safe again. ⑬And, yes, together, we will make America great again.

⑭Thank you, God bless you, and God bless America.

①私たちは新たな千年紀の誕生に立ち会い、宇宙の謎を解明し、地球を病の苦しみから解放し、未来のエネルギー、産業、技術を活用する手はずが整っています。②新たな愛国の誇りが、私たちの魂を揺さぶり、視座を高め、分断を癒してくれるのです。

③この国の兵士であれば決して忘れることのない金言を、思い出すべきときです。肌が黒だろうが、褐色だろうが、白だろうが、私たちはみんな、同じ愛国者の赤い血を流し、同じ素晴らしい自由を享受し、同じ偉大なアメリカ国旗に敬礼するのだと。④デトロイトのスプロール（都心から郊外に宅地が無秩序に広がっているところ）で生まれた子供も、風が吹くネブラスカの平野で生まれた子供も、同じ夜空を見上げ、同じ夢で心を満たし、同じ全能の神によって命を吹き込まれるのです。

⑤ですから、遠い町、近くの町、大きな町、小さい町、山から山へ、海から海へと、すべての町に暮らす国民全員にこの言葉を聞いてもらいたいのです。⑥皆さんが無視されることは、二度とありません。⑦皆さんの声、希望、夢で、アメリカの運命は決まります。⑧皆さんの勇気、善意、愛が、至る所で絶えず私たちを導いてくれるのです。⑨力を合わせて、アメリカを再び強い国にしていきます。⑩再び豊かな国にしていきます。⑪再び誇りの持てる国にしていきます。⑫再び安全な国にしていきます。⑬そう、力を合わせて、アメリカを再び偉大な国にしていくのです。

⑭ありがとうございました。皆さんに神のご加護がありますように。アメリカに神のご加護がありますように。

ドナルド・トランプ大統領「就任演説」の背景

background

今回、トランプ大統領は「世界を変えた」枠として掲載した。ここ数年のアメリカやアメリカを取り巻く世界情勢が変わったのは間違いなくトランプ大統領が就任したためである。本スピーチはほかのスピーチと比べて異色であり、トランプの行動を賛美するわけではない点にはご留意願いたい。

▶ニューヨークを支配するトランプ財閥のルーツ

ドナルド・トランプにはドイツ人とスコットランド人の血が流れている。かつてドイツ人だったトランプ一族はライン川とその支流が流れる一帯で生活を営んでいた。当時のヨーロッパでは経済的な理由からアメリカ新大陸への移住を希望する人々が増え始めており、そうした中のひとりが1869年に生を受けたフレデリック・トランプであった。フレデリック・トランプは16歳になった年にアメリカへの移住を希望し、その年に船でアメリカを目指す人々の群れに加わる。1885年のことであった。ニューヨークにはフレデリックと同じようにドイツから移住してきた若者が少なからず暮らしており、フレデリックはやがてそうしたドイツ移民のひとりのエリザベス・クライストと所帯を持つことになった。フレデリックとエリザベスはニューヨークで男2人、女1人の3人の子供に恵まれ、このトランプ家が、やがてニューヨークを支配するトランプ財閥の基礎を築いた。

当時のアメリカは西部で金鉱が発見されて始まったゴールドラッシュの好景気の余韻の中にあり、ヨーロッパやアジアからやってくる人間にとっては富の源泉であった。東部の町ニューヨークに上陸したヨーロッパからの移民の多くが西への道を求めて旅を続けていく中で、トランプ一族はニューヨークでの生活を大切にし、マンハッタンとその周辺にビジネスの根をおろしていく。ビジネスの基本はあくまでもファミリー企業であった。

▶豪華さと多様性の象徴のようなトランプ一族

フレデリックとエリザベスによって育てられた3人の子供のうち、下の2人は男であった。両親はこの2人の息子、フレッドとジョンに家業を継がせた。やがてフレッドが結婚適齢期を迎え、スコットランド出身のメリー・アン・マクラウドと結婚する。フレッドとメリー・アンの間にできたのがドナルド。ドナルド・トランプ大統領が"自分にはスコットランド人の血が流れている"と自分の183センチという身長を誇らしげに口にするのは、母親が立派な体格の持ち主であったことに触れてのことである。なおトランプ大統領の父親は1999年、母親は2000年に他界している。

2017年1月20日のトランプ大統領の就任式には、トランプ一族を代表する顔ぶれが連邦議会議事堂のバルコニーに顔を揃えた。家長と呼ぶのにふさわしいドナルドは濃紺のスーツに深紅のネクタイを配し、ニューヨーク・マンハッタンのビジネスタイクーンがそうするようにスーツの前はボタンを外したままの出で立ちだった。自分の代になってから一族に加わった東ヨーロッパ系やユダヤ系の家族たちも顔を揃え、アメリカを象徴するニューヨークの一族ならではの豪華さと多様性を誇示するものであった。

▶コミュニケーションの変革を体現する就任演説

トランプ大統領が行った大統領就任演説は、全体の長さがわずか16分、語数にして1,458語というもので、1977年にジミー・カーター大統領が行った就任演説以来、最も短かった。歴代の大統領たちが美辞麗句をちりばめた就任演説を行ってきたのに対して、トランプ大統領は必要最小限のメッセージしか口にしなかった。のちのトランプ大統領のコミュニケーションの取り方からわかるように、ドナルド・トランプという人間はメッセージが一方方向で流れるコミュニケーションよりもメッセージが双方向で流れるコミュニケーションの方法を重要だと考える人間である。そうしたやり方は、コミュニケーションの仕組みを大きく変え、政治や社会そのものをも変えていくであろう。

ワシントンに住む人は政治家や官僚が、ボストンに住む人は教育や知性が、フィラデルフィアに住む人は家柄や教養が人間の価値を決めると考えてきた。ニューヨークに住む人にとっての価値の源泉はそれなら何だったのだろう。ドナルド・トランプを含むニューヨーカーたちが大切にしてきたもの、それはあくまでマネーであり、マネーこそがアメリカなのだ。

トランプが異色の大統領として就任して以来、アメリカも世界も大きく変わった。メキシコとの国境に壁を作るというトランプ大統領の構想は難航しているが、代わりに人々の心の中に壁ができた。トランプ大統領自身も世界にはメキシコやカナダの他にも中国やロシア、更にはイランやトルコといった国々があり、そうした国々としっかりと付き合っていくのが超大国アメリカの責任であるという、より伝統的な認識に立ち返らざるを得ないジレンマに陥り始めている。「アメリカをもう一度大国に」(Make America Great Again)の合言葉をアメリカの民衆がどう受け止めるかが、2020年のアメリカを読み解くヒントになるだろう。

03 マララ・ユスフザイ Malala Yousafzai

国連演説（2013年7月12日）

REX FEATURES／アフロ
Fabio De Paola／REX

1997年7月12日パキスタン北西部の国境に近いミンゴラの生まれ。父親が経営する女子学校に通っていた2012年10月9日に、スクールバスの中でタリバンによって狙撃され瀕死の重傷を負う。イギリスの病院で奇跡的に回復し、教育の必要性を訴える活動が注目され、2014年史上最年少の17歳でノーベル平和賞を受賞。その後も女性の権利拡大のための活動を精力的に展開している。

世界に与えたインパクト

パキスタンからアフガニスタンにかけてのイスラム社会で、タリバンを名乗る武装勢力が民衆の支持を集めたことがあった。もともとは旧ソ連によるアフガニスタン支配に対し抵抗したイスラム教徒たちを中心に結成された勢力で、アメリカの軍事的な支援を受けていた時期もあったが、やがてそのアメリカをはじめとする西側勢力と激しく対立することになる。国連から招待されたマララは16歳の誕生日に、このスピーチを行った。

①In the name of God, the Most Beneficent, the Most Merciful. Honorable UN Secretary General Mr Ban Ki-moon, Respected President of General Assembly Vuk Jeremic, Honorable UN Envoy for Global Education Mr Gordon Brown, respected elders and my dear brothers and sisters: Assalamu alaikum.

②Today, it is an honor for me to be speaking again after a long time. ③Being here with such honorable people is a great moment in my life, and it is an honor for me that today I'm wearing a shawl of Benazir Bhutto Shaheed. ④I don't know where to begin my speech. ⑤I don't know what people would be expecting me to say, but first of all thank you to God for whom we all are equal, and thank you to every person who has prayed for my fast recovery and new life. ⑥I cannot believe how much love people have shown me. ⑦I have received thousands of good-wish cards and gifts from all over the world. ⑧Thank you to all of them. ⑨Thank you to the children whose innocent words encouraged me. ⑩Thank you to my elders whose prayers strengthened me. ⑪I would like to thank my nurses, doctors and the staff of the hospitals in Pakistan and the UK, and the UAE government who have helped me to get better and recover my strength.

①慈悲深く、慈愛あまねき、アッラーの御名(みな)において。バン・ギムン国連事務総長殿、ヴュック・イェレミッチ総会議長殿、ゴードン・ブラウン国連グローバル教育担当特使殿、尊敬すべき年長者の方々、親愛なる兄弟姉妹の皆さん、アッサラーム・アライクム（皆さんに平和を）。

②今日久しぶりにお話しさせていただいているのは、私にとって名誉なことです。③ここで尊敬すべき方々とご一緒させていただいているのは、私の人生で素晴らしい瞬間です。そして今日故ベナジル・ブット（元パキスタン首相）のショールをまとっているのは、私にとって名誉なことです。④どこからスピーチを始めていいのか分かりません。⑤皆さんが私にどんな話を期待してくださっているのか分かりませんが、まず私たちを平等に扱ってくださる神に感謝いたします。そして私が早く回復して、新しい人生を送れるように祈ってくださった、すべての方に感謝いたします。⑥皆さんは、私に信じられないほどの愛を示してくださいました。⑦世界中から何千もの幸運を祈るカードや贈り物をいただきました。⑧皆さんに感謝いたします。⑨無垢な言葉で私を励ましてくださった子供たちに感謝いたします。⑩祈りで私を強くしてくださった年長者の方々に感謝いたします。⑪パキスタンとイギリスの看護師・医師・病院職員の皆さんと、アラブ首長国連邦政府のおかげで私はまた元気になりました。感謝いたします。

※網かけ部分は音声にありません。

①I fully support Mr Ban Ki-moon, the Secretary General, in his Global Education First Initiative, and the work of the UN Special Envoy Mr Gordon Brown and the Respected President General Assembly Vuk Jeremic. ②I thank all of them for the leadership they continue to give. ③They continue to inspire all of us to action. ④Dear brothers and sisters, do remember one thing: Malala Day is not my day. ⑤Today is the day of every woman, every boy and every girl who have raised their voice for their rights.

⑥There are hundreds of human rights activists and social workers who are not only speaking for their rights, but who are struggling to achieve their goal of peace, education and equality. ⑦Thousands of people have been killed by the terrorists, and millions have been injured. ⑧I'm just one of them. ⑨So here I stand, one girl among many. ⑩I speak not for myself, but for those without a voice can be heard, those who have fought for their rights: their right to live in peace, their right to be treated with dignity (尊厳をもって), their right to equality of opportunity (機会均等), their right to be educated.

①バン・ギムン事務総長のグローバル・エデュケーション・ファースト・イニシアチブ（世界教育推進活動）と、ゴードン・ブラウン国連特使とヴュック・イェレミッチ国連総会議長の活動を全面的に支持いたします。②絶えずリーダーシップを発揮してくださっていることに感謝いたします。③私たちの行動にインスピレーションを与え続けてくださっています。④親愛なる兄弟姉妹の皆さん、どうしてもひとつ覚えておいていただきたいことがあります。マララの日は私の日ではありません。⑤今日は自分の権利を求めて声を上げたすべての女性や少年少女の日なのです。

⑥何百もの人権活動家とソーシャルワーカーが、自分の権利を求めて発言するだけではなく、平和・教育・平等という目標を達成するために努力してくださっています。⑦何千もの人がテロリストに殺害され、何百万もの人が負傷してきました。⑧私はそのひとりに過ぎません。⑨たくさんいる中でひとりの少女としてここに立っています。⑩私がお話しするのは自分のためではなく、声なき人の声を伝えるためです。自分の権利、つまり平和に生きる権利、尊厳を持って扱われる権利、機会均等の権利、教育を受ける権利を求めて闘ってきた人たちの声を伝えるためなのです。

①Dear friends, on the 9 of October 2012, the Taliban shot me on the left side of my forehead (額). ②They shot my friends, too. ③They thought that the bullet (銃弾) would silence us, but they failed. ④And out of that silence came thousands of voices. ⑤The terrorists thought they would change my aims and stop my ambitions. ⑥But nothing changed in my life except this: weakness, fear and hopelessness died. ⑦Strength, power and courage was born. ⑧I'm the same Malala. ⑨My ambitions are the same. ⑩My hopes are the same. ⑪And my dreams are the same. ⑫Dear sisters and brothers, I'm not against anyone. ⑬Neither am I here to speak in terms of personal revenge against the Taliban or any other terrorist group. ⑭I'm here to speak up for the right of education of every child. ⑮I want education for the sons and daughters of the Taliban and all the terrorists and extremists. ⑯I do not even hate the Talib who shot me.

⑰Even if there is a gun in my hand and he stands in front of me, I would not shoot him. ⑱This is the compassion (思いやり) that I have learned from Mohamed, the Prophet of Mercy, and Jesus Christ and Lord Buddha. ⑲This is the legacy (遺産) of change that I have inherited from Martin Luther King, Nelson Mandela and Mohammed Ali Jinnah.

①皆さん、2012年10月9日、私はタリバンに額の左側を撃たれました。②私の友人も撃たれました。③タリバンは銃弾で私たちを沈黙させようと思ったのですが、失敗に終わりました。④その沈黙から何千もの声が上がったのです。⑤テロリストたちは私の目標を変え、望みを果てさせると考えました。⑥しかし私の人生で変わったことは何もありません。変わったのは、弱さ･恐怖･絶望が消え去ったことだけです。⑦強さ・力・勇気が生まれたのです。⑧私は同じマララです。⑨私の望みは同じです。⑩私の希望は同じです。⑪私の夢は同じです。⑫親愛なる姉妹兄弟の皆さん、私は誰とも敵対していません。⑬タリバンその他のテロ組織に個人的に復讐する観点で話をするために、ここにいるわけでもありません。⑭すべての子供が教育を受ける権利をはっきりと主張するために、ここにいるのです。⑮タリバンやすべてのテロリストと過激派の息子や娘も、教育を受けられるようになってほしいと思っています。⑯私を撃ったタリバン兵でさえも憎んではいません。

⑰たとえ私が銃を握っていて、目の前にそのタリバン兵が立っていたとしても、撃つことはないでしょう。⑱これは慈悲深い預言者ムハンマド、イエス・キリスト、お釈迦様から学んだ思いやりの心です。⑲これはマーティン・ルーサー・キング、ネルソン・マンデラ、ムハンマド・アリ・ジンナーから受け継いだ変化の遺産です。

① This is the philosophy of nonviolence that I have learned from Gandhi, Bacha Khan and Mother Teresa. ② And this is the forgiveness that I have learned from my father and from my mother. ③ This is what my soul is telling me: Be peaceful and love everyone.

④ Dear sisters and brothers, we realize the importance of light when we see darkness. ⑤ We realize the importance of our voice when we are silenced. ⑥ In the same way, when we were in Swat, the north of Pakistan, we realized the importance of pens and books when we saw the guns. ⑦ The wise saying "The pen is mightier than the sword" was true. ⑧ The extremists (過激派) were, and they are, afraid of books and pens. ⑨ The power of education frightens them. ⑩ They are afraid of women. ⑪ The power of the voice of women frightens them. ⑫ And that is why they killed 14 innocent students in the recent attack in Quetta. ⑬ And that is why they killed female teachers and polio workers in Khyber Puhkhtoon Khwa. ⑭ That is why they are blasting schools every day because they were, and they are, afraid of change and afraid of equality that we will bring into our society. ⑮ And I remember that there was a boy in our school who was asked by a journalist: "Why are the Taliban against education?" ⑯ He answered very simply. ⑰ By pointing to his book, he said: "A Talib doesn't know what is written inside this book."

①これはガンジー、バシャ・カーン、マザー・テレサから学んだ非暴力の哲学です。②これは私が両親から学んだ寛容の心です。③「穏やかであれ、万人を愛せよ」という私の心の声なのです。

④親愛なる姉妹兄弟の皆さん、光の大事さは、暗闇の中にいるとわかります。⑤声の大事さは、沈黙させられるとわかります。⑥同様に、パキスタン北部のスワトで銃を目にして、私たちはペンと本の大事さがわかったのです。⑦「ペンは剣よりも強し」という格言は真実でした。⑧過激派は昔も今も本とペンを恐れています。⑨教育の力に恐れをなしているのです。⑩彼らは女性を恐れています。⑪女性の声の力に恐れをなしているのです。⑫だからこそ最近クエッタの攻撃で罪のない14人の学生を殺害したのです。⑬だからこそ女性教師とポリオ撲滅の活動家をカイバル・パクトゥンクワ州（パキスタン北西部国境地帯）で殺害したのです。⑭だからこそ毎日学校を爆破しているのです。私たちが社会にもたらす変化と平等を昔も今も恐れているからです。⑮私たちの学校のある男子がジャーナリストに「どうしてタリバンは教育に反対しているのですか？」と聞かれたことがありました。⑯彼はただ答えました。⑰「タリバン兵は本に書いてあることを知らないからです」と本を指差して。

①They think that God is a tiny, little conservative being (存在) who would point guns at people's heads just because of going to school. ②These terrorists are misusing the name of Islam and Pashtoon society for their own personal benefits. ③Pakistan is a peace-loving, democratic country. ④Pashtoons want education for their daughters and sons. ⑤And Islam is a religion of peace, humanity and brotherhood. ⑥Islam says it is not only each child's right to get education, rather it is the duty and responsibility. ⑦Honorable Secretary General, peace is a necessity for education. ⑧In many parts of the world, especially Pakistan and Afghanistan, terrorism, wars and conflicts stop children to go to their schools. ⑨We are really tired of these wars. ⑩Women and children are suffering in many ways in many parts of the world.

⑪In India, innocent and poor children are victims of child labor (児童労働). ⑫Many schools have been destroyed in Nigeria. ⑬People in Afghanistan have been affected by the hurdles of extremism for decades (何十年). ⑭Young girls have to do domestic child labor and are forced to get married at early age. ⑮Poverty, ignorance, injustice, racism and the deprivation (剥奪) of basic rights are the main problems faced by both men and women.

①彼らは神を、ただ学校に通っているだけで人の頭に銃を向けるような心の狭い保守的な存在だと考えています。②このようなテロリストはパシュトゥン（アフガニスタンの最大民族で、パキスタンでのタリバン運動の中心とされる）社会の名を語って、個人的な利益を得ようとしているに過ぎません。③パキスタンは平和を愛する民主国家です。④パシュトゥン人は娘や息子の教育を望んでいます。⑤イスラム教は平和・人道・兄弟愛の宗教です。⑥子供にはすべて教育を受ける権利があるだけではありません。それが義務であり責任であるとイスラム教は説いています。⑦事務総長殿、教育のためには平和が必要です。⑧世界の多くの地域、特にパキスタンとアフガニスタンでは、テロ・戦争・紛争が起こり、子供が学校に行けなくなっています。⑨私たちはこのような戦争にうんざりしています。⑩女性と子供が世界の多くの地域でさまざまな形で苦しんでいます。

⑪インドでは、無垢で貧しい子供たちが児童労働の被害者になっています。⑫ナイジェリアでは多くの学校が破壊されています。⑬アフガニスタンの人たちは、何十年も過激主義という障害の影響を受けています。⑭少女たちが家庭内で児童労働をしなくてはならなかったり、幼くして結婚させられたりしています。⑮貧困・無知・不義・人種差別・基本的権利の剥奪は、男女が共に直面する主要な問題です。

①Dear fellows, today, I'm focusing on women's rights and girls'education because they are suffering the most. ②There was a time when women social activists asked men to stand up for their rights. ③But this time we will do it by ourselves. ④I'm not telling men to step away from speaking for women's rights, rather, I'm focusing on women to be independent and fight for themselves. ⑤So dear sisters and brothers, now it's time to speak up. ⑥So today, we call upon (お願いする) the world leaders to change their strategic policies in favor of peace and prosperity (繁栄). ⑦We call upon the world leaders that all of the peace deals must protect women and children's rights. ⑧A deal that goes against the rights of women is unacceptable.

⑨We call upon all governments to ensure free, compulsory education (義務教育) all over the world for every child. ⑩We call upon all the governments to fight against terrorism and violence, to protect children from brutality (蛮行) and harm. ⑪We call upon the developed nations to support the expansion of education opportunities for girls in the developing world. ⑫We call upon all the communities to be tolerant, to reject prejudice based on caste, creed, sect, color, religion or gender, to ensure freedom and equality for women so they can flourish. ⑬We cannot all succeed when half of us are held back (抑圧される). ⑭We call upon our sisters around the world to be brave, to embrace the strength within themselves and realize their full potential.

①皆さん、今日私は女性の権利と少女の教育に重点を置いています。女性と少女が一番苦しんでいるからです。②女性の社会活動家が、女性の権利のために立ち上がってくれるよう男性に求めたときがあります。③しかし今回は私たち女性が自ら立ち上がっていくのです。④男性に「女性の権利を擁護するのはやめにしてください」と言っているわけではありませんが、女性が自立して闘うことに重点を置いています。⑤ですから親愛なる少女少年の皆さん、今こそが声を上げる時なのです。⑥ですから今日、世界の指導者の皆さんにお願いします、平和と繁栄を支持して戦略的政策を変更することを。⑦世界の指導者にお願いします、すべての和平協定を女性と子供の権利を守るものにしていくことを。⑧女性の権利に反するような協定を受け入れることはできません。

⑨私たちはすべての政府にお願いします、世界中のすべての子供たちが無料で義務教育を受けられるようにしていくことを。⑩すべての政府にお願いします、テロや暴力と闘うことを。子供たちを蛮行や危害から守ることを。⑪先進国にお願いします、発展途上国の女子の教育機会の拡大を支持することを。⑫すべての社会にお願いします、寛大な心で、階級・教義・宗派・人種・宗教・性別に基づいた偏見を拒絶し、女性のための自由と平等を保証し、女性が活躍できるようにしていくことを。⑬人類の半分を占める私たち女性が抑圧されていては、成功などできません。⑭私たちは世界中の姉妹にお願いします、勇気を持って、自分たちの中にある強さを信じて、潜在能力を最大限に発揮していくことを。

① Dear brothers and sisters, we want schools and education for every child's bright future. ② We will continue our journey to our destination of peace and education. ③ No one can stop us. ④ We will speak up for our rights and we will bring change to our voice. ⑤ We believe in the power and the strength of our words. ⑥ Our words can change the whole world because we are all together, united for the cause of education. ⑦ And if we want to achieve our goal, then let us empower ourselves with the weapon of knowledge, and let us shield ourselves with unity and togetherness.

⑧ Dear brothers and sisters, we must not forget that millions of people are suffering from poverty, injustice and ignorance. ⑨ We must not forget that millions of children are out of their schools. ⑩ We must not forget that our sisters and brothers are waiting for a bright, peaceful future.

⑪ So let us wage 戦う a global struggle against illiteracy, poverty and terrorism, let us pick up our books and our pens. ⑫ They are the most powerful weapons. ⑬ One child, one teacher, one book and one pen can change the world. ⑭ Education is the only solution. ⑮ Education first. ⑯ Thank you.

①親愛なる兄弟姉妹の皆さん、私たちはすべての子供の輝かしい未来のために、学校と教育を望んでいます。②私たちは平和と教育という目標への旅を続けていきます。③誰にも私たちを止めることなどできません。④自分たちの権利をはっきりと主張し、私たちの声に変化をもたらしていきます。⑤私たちは自分たちの言葉の力と強みを信じています。⑥私たちの言葉で世界全体を変えることができます。なぜなら私たちは教育という大義のために共に団結しているからです。⑦もし目標を達成することを望むのであれば、知識という武器で自分たちに力を与え、連帯と団結という盾(たて)で共に団結して、自分たちを守っていきましょう。

⑧親愛なる兄弟姉妹の皆さん、忘れてはなりません、何百万もの人たちが、貧困や不義や無知に苦しんでいることを。⑨忘れてはなりません、何百万もの子供たちが学校に通うことができずにいることを。⑩忘れてはなりません、私たちの姉妹兄弟が輝かしい平和な未来を待ち望んでいることを。

⑪文盲・貧困・テロと世界規模で闘っていきましょう。⑫本とペンという最強の武器を手に取っていきましょう。⑬１人の子供、１人の教師、１冊の本、１本のペンで、世界を変えることができます。⑭教育がただひとつの解決策です。⑮教育こそが最優先なのです。⑯ありがとうございました。

マララ・ユスフザイ「国連演説」の背景

background

▶世界に衝撃を与えた狙撃事件

マララ・ユスフザイをノーベル平和賞の受賞者に推す動きは、2012年の10月9日に、彼女がタリバンによって狙撃された直後からあった。女子教育を否定しようとする無法者が跋扈（ばっこ）する、かつては平和だった国パキスタンで、自由な教育の普及を呼びかけたために狙撃され、九死に一生を得た健気（けなげ）な女子学生は、その存在自体が「センセーショナル」であった。国連やアメリカにとって彼女は世界戦略を進めるうえで必要な「英雄」であり、ノーベル平和賞はその格好の目標でもあった。

マララが治療を受けるために滞在することになったのが、旧宗主国としてパキスタンと特別な関係にあったイギリスであり、そのイギリスのゴードン・ブラウン元首相が国連の教育特別代表（特使）を当時務めていたことが、マララにとって幸運に働いた。ブラウン特別代表や潘基文（パンギムン）事務総長ら国連関係者の肝いりで「国連若者総会」が開催されることになり、マララがスピーカーとして招かれた。16歳の誕生日に当たる2013年7月12日にマララはベナジル・ブット元パキスタン首相がかつて身に着けていた桜色のショールを身にまとって登壇する。のちに暗殺されたブット元首相はイスラム世界が生んだ初めての女性首相で、同じく暗殺の標的になったマララは彼女を深く尊敬していた。

マララがタリバンによる暗殺の標的になったのは、彼女がBBC（英国放送協会）の求めに応じてタリバンを批判するブログを書いていたからである。BBCの放送を通じてそのことを知ったタリバンはマララがイスラム原理主義を冒とくしていると受け取り、彼女を「処刑する」計画を立てた。このマララに対する暗殺未遂事件では、頭部に2発の銃弾を受け重体になったマララのほかに女子学生2人が負傷した。

▶完成度の高い国連でのスピーチとマララをめぐる周囲の人々

マララが国連で行ったスピーチは16歳の少女によるものとしては内容、レトリックともにレベルが優れて高い。スピーチライターやメディアコンサルタントなどコミュニケーションの専門家たちが関与していたからだ。マララがイギリスに移って間もなくした頃から、彼女と父親のまわりにはアメリカやヨーロッパのメディアコンサルタントたちが集まるようになった。彼らにとってマララ・ユスフザイは「高く売れる魅力的な商品」なのである。この「高く売れる魅力的な商品」をいっそう魅力的なものにすることが、彼らの使命でありビジネスだった。パキスタン出身のひとりの少女をめぐる世界規模での競争がこうして始まり、今に至るまで続いている。

国連で演説を行ってから3カ月ほどたった2013年10月13日に、マララ・ユスフザイはアメリカの首都ワシントンを訪れる。オバマ大統領から招待されたのだ。面会の席で、自身がノーベル平和賞受賞者であるオバマ大統領は教育の自由と普及に対するマララの姿勢を高く評価し、一方のマララは自由世界の「守護神」としてタリバンとの闘いを進めるアメリカに対しての強い支持を表明した。ふたりのこのやりとりは全世界にニュースとして伝えられ、アメリカが16歳の悲劇の少女を世界戦略のために利用しているのではないかという一部の批判を招くことにもなる。タリバンにとって、マララは祖国パキスタンとパキスタンの人々を捨ててアメリカについた究極の裏切り者ということになった。それはマララが望んだことであったのだろうか？

2013年7月12日にマララ・ユスフザイが国連本部で行ったスピーチは、ノーベル平和賞への「キャンペーン・スピーチ」であったといえる。選挙活動中に暗殺者の凶弾に倒れた母国の「英雄」ベナジル・ブット元首相が生前まとっていたショールを身に着け、尊敬する人物としてマーティン・ルーサー・キング牧師、ネルソン・マンデラ元南アフリカ共和国大統領、マザー・テレサなど過去にノーベル平和賞を受賞した人物の名前をあげて、こうした人物に自分自身を投影していく。間違いなくこれは16歳の少女ではなく「大人」が書いた「票集めのためのスピーチ原稿」ととられてもおかしくない。本人がそれをどこまで自覚していたかどうかは、今となっては確かめるわけにはいかないものの、彼女の気持ちの中に「自分は演技させられている」という思いはなかったのか……？

結局、この年のノーベル平和賞にはオランダのハーグに本部を置く化学兵器禁止機関が選ばれ、マララ・ユスフザイは選ばれなかった。

▶国際社会でのマララの活躍

マララがノーベル平和賞を獲得したあとも、国際社会からのマララに対する称賛の声は増幅し続け、EU（欧州連合）が思想の自由のために貢献した人物に贈るサハロフ賞を授与したのをはじめ、子供の権利獲得に尽くした人物に与えられる世界子供賞などが彼女に与えられた。またかつての大英帝国時代のしきたりを破る異例なことではあったが、エリザベス女王はバッキンガム宮殿に親しくマララを招き、彼女の労をねぎらった。一方のマララも16歳の模範的な少女の役を演じ続け、世界中の虐げられた人々と善意ある人々の心に希望の灯を燃やし続けた。

04 アウンサン・スーチー Aung San Suu Kyi

ノーベル平和賞受賞記念講演（一部略）（2012年6月16日）

1945年6月19日ミャンマーのラングーン（現ヤンゴン）生まれ。2歳の時に父親を暗殺で失う。インドのデリー大学で政治学を、英国オックスフォード大学で哲学を学ぶ。ロンドン大学アジアアフリカ研究所、国連本部事務局などで働いたのち母国で政治活動に従事。1989年7月から2010年11月の間のほとんどを自宅軟禁処分の中で過ごす。のち、ミャンマーの民主化への機運の高まりが顕在化する中で2011年から政治活動を再開した。2016年には国家顧問に就任し、自宅軟禁の時代にはもぎ取られていた国の最高指導者のポストを手に入れた。

U.S. Department of State

世界に与えたインパクト

人生のほとんどを独裁者との闘争に費やしてきたアウンサン・スーチーに支援の手を差し伸べた個人や団体の中で、最も力を持ったもののひとつが、1991年のノーベル平和賞であった。しかし彼女はその年の授賞式に出席できない。法律的には彼女は自宅軟禁処分の中にあり、外国への渡航は事実上不可能であった。彼女がミャンマーからの出国とミャンマーへの帰国の自由が保障され、ノルウェーのオスロに赴いたのは2012年で、ノーベル平和賞の受賞から21年も経過していた。

① Your Majesties, Your Royal Highness, Excellencies, Distinguished members of the Nobel Committee, Dear Friends,

② Long years ago — sometimes it seems many lives ago — I was at Oxford listening to the radio program Desert Island Discs with my young son Alexander. ③ It was a well-known program — for all I know it still continues — on which famous people from all walks of life (社会のいろいろな人たち) were invited to talk about the eight discs, the one book beside the bible and the complete works of Shakespeare, and the one luxury item they would wish to have with them were they to be marooned (漂流する) on a desert island. ④ At the end of the program, which we had both enjoyed, Alexander asked me if I thought I might ever be invited to speak on Desert Island Discs. ⑤ "Why not?" I responded lightly. ⑥ Since he knew that in general only celebrities took part in the program, he proceeded to ask me with genuine (心からの純粋な) interest why I thought I might be invited. ⑦ I considered this for a moment and then answered, "Perhaps because I'd have won the Nobel Prize for literature," and we both laughed. ⑧ The prospect seemed pleasant but hardly probable. ⑨ I cannot now remember why I gave that answer — perhaps because I had recently read a book by a Nobel Laureate or perhaps because the Desert Island celebrity of that day had been a famous writer.

⑩ In 1989, when my late (亡き) husband Michael Aris came to see me during my first term of house arrest (自宅軟禁), he told me that a friend, John Finnis, had nominated me for the Nobel Peace Prize. ⑪ This time also I laughed.

① 陛下、殿下、閣下、ノーベル委員会諸氏、親愛なる友人たち、

②ずっと昔、隔世の感も時にありますが、私はオックスフォードで幼かった息子のアレクサンダーと、「デザート・アイランド・ディスクス（無人島のレコード）」というラジオ番組を聞いていました。③有名な番組で、まだ続いていると思うのですが、そこでは社会のいろいろな有名な人たちが招かれて、もし無人島に漂流したら持っていきたいレコード８枚、聖書とシェイクスピア全集以外の本１冊、そして贅沢品ひとつについて話をします。④ふたりで番組を楽しんだ後に、アレクサンダーが、私が番組に招かれて「無人島のレコード」の話をする可能性があると思うかと聞いてきたので、⑤「もちろんよ」と軽く答えました。⑥息子にも普通は番組に出演するのは有名人だけだと分かっていましたので、どうして私が招待される可能性があるのか、興味津々（しんしん）で聞いてきました。⑦一瞬考えて、「ノーベル文学賞をもらって呼ばれるのかもしれないわね」と答えると、ふたりで笑ってしまいました。⑧楽しい予想ではありましたが、それは到底実現しそうにないものでした。⑨どうしてそんな答え方をしたのかは覚えていません。私がノーベル文学賞受賞作家の本を読んだばかりだったのかもしれませんし、その日の「無人島のレコード」の有名人が大物の作家だったのかもしれません。

⑩ 1989年、私の１回目の自宅軟禁の間に、亡き夫のマイケル・アリスが会いにきてくれて、友人のジョン・フィニスが私をノーベル平和賞に推薦したことを聞かされました。⑪そのときにも私は笑ってしまいました。

①For an instant Michael looked amazed. ②Then he realized why I was amused. ③The Nobel Peace Prize? ④A pleasant prospect, but quite improbable! ⑤So how did I feel when I was actually awarded the Nobel Prize for Peace? ⑥The question has been put to me many times, and this is surely the most appropriate occasion on which to examine what the Nobel Prize means to me and what peace means to me.

（improbable：現実味がない）

（中略）

⑦... Often during my days of house arrest, it felt as though I were no longer a part of the real world. ⑧There was the house which was my world, there was the world of others who also were not free but who were together in prison as a community, and there was the world of the free. ⑨Each was a different planet pursuing its own separate course in an indifferent universe. ⑩What the Nobel Peace Prize did was to draw me once again into the world of other human beings outside the isolated area in which I lived, to restore a sense of reality to me. ⑪This did not happen instantly, of course, but as the days and months went by and news of reactions to the award came over the airwaves, I began to understand the significance of the Nobel Prize. ⑫It had made me real once again. ⑬It had drawn me back into the wider human community. ⑭And what was more important, the Nobel Prize had drawn the attention of the world to the struggle for democracy and human rights in Burma. ⑮We were not going to be forgotten.

①一瞬マイケルは驚いたような顔をしましたが、②すぐに私が面白がっている訳が分かったのです。③ノーベル平和賞？　④素晴らしい展望だろうけれど、全然現実味がない！　⑤それで実際ノーベル平和賞を受賞することになって、どんな気持ちになったのか？　⑥何度もその質問をされてきましたが、間違いなく今回は、私にとってのノーベル賞の意味と平和の意味を吟味するのに、最高にふさわしい機会です。

（中略）

⑦自宅軟禁の日々で、自分が現実世界の一部ではもはやないような気持ちになることがよくありました。⑧私は自宅軟禁で自由を奪われてひとりの世界に暮らしています。さらに自由を奪われて監獄と化した社会であっても、みんなで一緒に暮らしている世界があります。さらに自由にみんな一緒に暮らせる世界があります。⑨それぞれが別々の惑星に暮らし、冷淡な宇宙でわが道を行っている。⑩ノーベル平和賞は、再び私を自分の暮らす孤立した地域の外の人間の世界に引き戻し、私に現実感を取り戻させてくれました。⑪もちろん一瞬でそうなったわけではありませんが、月日が流れ、受賞への反響の知らせが電波で届くと、ノーベル賞の意義を理解するようになりました。⑫私を再び現実世界の人間にしてくれました。⑬もっと広い人間世界に私を引き戻してくれたのです。⑭さらに大事なのは、ノーベル賞のおかげで、ビルマの民主主義と人権を求める奮闘が世界の注目を集めるようになったことです。⑮私たちが忘れ去られることにはなりません。

① To be forgotten. ② The French say that to part is to die a little. ③ To be forgotten, too, is to die a little. ④ It is to lose some of the links that anchor us to the rest of humanity. ⑤ When I met Burmese migrant workers (移民労働者たち) and refugees during my recent visit to Thailand, many cried out, "Don't forget us!" ⑥ They meant, "Don't forget our plight (苦境). ⑦ Don't forget to do what you can to help us. ⑧ Don't forget we also belong to your world." ⑨ When the Nobel Committee awarded the Peace Prize to me they were recognizing that the oppressed and the isolated in Burma were also a part of the world. ⑩ They were recognizing the oneness of humanity. ⑪ So for me receiving the Nobel Peace Prize means personally extending my concerns for democracy and human rights beyond national borders. ⑫ The Nobel Peace Prize opened up a door in my heart.

⑬ The Burmese concept of peace can be explained as the happiness arising from the cessation (停止) of factors that militate against (～を阻害する) the harmonious and the wholesome. ⑭ The word *nyein-chan* translates literally as the beneficial coolness that comes when a fire is extinguished. ⑮ Fires of suffering and strife are raging around the world. ⑯ In my own country, hostilities have not yet ceased in the far north; to the west, communal violence resulting in arson and murder were taking place just several days before I started out on the journey that has brought me here today. ⑰ News of atrocities in other reaches of the earth abound.

①忘れ去られること。②フランス人は離れ離れになることは、命の一部を失うことだと言います。③忘れ去られることも命の一部を失うこと。④私たちとほかの人間をつなぎとめる絆の一部を失うことなのです。⑤最近タイを訪問して、ビルマ人の移民労働者や難民に会ったのですが、「私たちのことを忘れないでください!」と泣き叫ぶ人がたくさんいました。⑥「私たちの苦境を忘れないでください。⑦忘れずに私たちを救うためにできることをしてください。⑧私たちもあなたの世界の一員なのです」という意味です。⑨ノーベル委員会が私にノーベル平和賞をくださり、ビルマで弾圧されて孤立している人たちも世界の一員なのだということ、⑩人類がひとつであることを認めてくださったのです。⑪ですから私にとってノーベル平和賞受賞の意味というのは個人的に、民主主義と人権への思いを国境を越えて広げることなのです。⑫ノーベル平和賞は私の心の扉を開いてくれました。

⑬ビルマの平和の概念は、「調和と健全を阻害する要因を停止することから生じる幸福」と説明できます。⑭「ニェンチャン（涅槃）」を直訳すると、「炎を消しとどめたときにやってくる有益な涼しさ」になります。⑮苦しみと不和の炎が世界中で猛威を振るっています。⑯私自身の国でも、極北の地では敵意がやんでいません。西部では民族的対立から放火と殺人が起こりました。私が今日ここに旅立つわずか数日前のことです。⑰世界のほかの地域でも残虐行為のニュースが溢れています。

① Reports of hunger, disease, displacement, joblessness, poverty, injustice, discrimination, prejudice, bigotry — these are our daily fare. ② Everywhere there are negative forces eating away at (～を蝕む) the foundations of peace. ③ Everywhere can be found thoughtless dissipation (浪費) of material and human resources that are necessary for the conservation of harmony and happiness in our world.

④ The First World War represented a terrifying waste of youth and potential, a cruel squandering (浪費) of the positive forces of our planet. ⑤ The poetry of that era has a special significance for me because I first read it at a time when I was the same age as many of those young men who had to face the prospect of withering (しおれる) before they had barely blossomed. ⑥ A young American fighting with the French Foreign Legion (外国人部隊) wrote before he was killed in action in 1916 that he would meet his death “at some disputed barricade,” “on some scarred slope of battered hill” or “at midnight in some flaming town.” ⑦ Youth and love and life perishing (消滅する) forever in senseless attempts to capture nameless, unremembered places — and for what? ⑧ Nearly a century on, we have yet to find a satisfactory answer.

⑨ Are we not still guilty, if to a less violent degree, of recklessness, of improvidence (先見の明のなさ) with regard to our future and our humanity? ⑩ War is not the only arena where peace is done to death. ⑪ Wherever suffering is ignored, there will be the seeds of conflict, for suffering degrades and embitters and enrages.

①飢餓、疾病、強制移住、失業、貧困、不義、差別、偏見、偏狭、こういったものが日常茶飯事です。②どこでも平和の礎を蝕(むしば)む否定的な力があります。③どこでも世界の調和と幸福を維持するのに必要な物資や人的資源が、容赦なく浪費されているのが見られます。

④第1次世界大戦は、若さと潜在能力がおぞましく浪費された象徴です。私たちの惑星の肯定的な力が残酷に浪費された象徴なのです。⑤その時代の詩には私にとって特別な意味合いがあります。初めて読んだとき、ほとんど花開くこともないまましおれる可能性に直面しなくてはならないそういった若者の多くが、私と同世代だったからです。⑥フランスの外国人部隊と闘う若いアメリカ人男性は、1916年に戦闘で命を失う前に、自分は「どこかの係争地のバリケードで」「砲撃の傷跡の残る丘で」「深夜炎に包まれた町で」死ぬだろうと記しました。⑦名もない、記憶されることもない場所を無意味に攻略しようとする中で、若さや愛や命が永遠に失われていく。いったい何のために？ ⑧それから1世紀近くがたちましたが、私たちはまだ納得のいく答えが見つけられずにいます。

⑨私たちはまだ罪を負ってはいないでしょうか？ そこまで暴力的ではないにしても、無謀さに関して、私たちの将来や人間性に関する先見の明(めい)のなさに関して。⑩戦争は平和を死に追い込むただひとつの領域ではありません。⑪苦しみを無視すれば、紛争の種がまかれます。苦しみで品位が下がり、敵意を抱き、激怒するからです。

①A positive aspect of living in isolation was that I had ample time in which to ruminate over the meaning of words and precepts that I had known and accepted all my life. ②As a Buddhist, I had heard of *dukha*, generally translated as suffering, since I was a small child. ③Almost on a daily basis, I heard elderly — and sometimes not so elderly — people around me murmuring "dukha, dukha" when they suffered from aches and pains or when they met with some small annoying mishaps. ④However, it was only during my years of house arrest that I got around to investigating the nature of the six great dukha. ⑤These are: to be conceived; to age; to sicken; to die; to be parted from those one loves; to be forced to live in propinquity with those one does not love. ⑥I examined each of the six great sufferings, not in a religious context but in the context of our ordinary everyday lives. ⑦If suffering were an unavoidable part of our existence, we should try to alleviate it as far as possible in practical, earthly ways.（中略）⑧... I was particularly intrigued by the last two kinds of suffering: to be parted from those one loves and to be forced to live in propinquity with those one does not love. ⑨What experience might our Lord Buddha have undergone in his own life that he had included those two states among the great sufferings? ⑩I thought of prisoners of conscience and refugees, of migrant workers and victims of human trafficking, of that great mass of the uprooted of the earth who have been torn away from their homes, parted from families and friends and forced to live out

ample：たくさんの
ruminate over：～について思いをめぐらせる
mishaps：災難
propinquity：近いこと
alleviate：～を軽減する
live out：～を生き抜く

①孤立した生活の利点は、生涯ずっと知っていて受け入れてきた言葉や教えの意味について思いをめぐらせる時間をたくさん持てたことです。②仏教徒として、私は「ドゥカ」という言葉、「苦しみ」と訳されることが多いその言葉を、幼い頃から聞いてきました。③日常的にお年寄り、時にはそれほどお年寄りではないこともあるのですが、周りの人たちが、痛みに苦しんだり、何か些細なことでも嫌なことに出くわしたりしたときに、「ドゥカ、ドゥカ」とつぶやいていました。④しかし自宅軟禁されてようやく、六大「ドゥカ」の本質を探究する機会が得られたのです。⑤それは「産まれる苦しみ」「老いる苦しみ」「病む苦しみ」「死ぬ苦しみ」「愛する人と離別する苦しみ」「愛することのない人の近くで暮らすことを余儀なくされる苦しみ」です。⑥私はその「六大苦」を、宗教的な文脈ではなく、日常生活の文脈から、それぞれ吟味してみました。⑦もし苦しみが生活の避けることのできない一部であるなら、実践的で世俗的な方法でできるだけ軽減しようとするべきです。（中略）⑧……私が特に興味を持ったのは、最後のふたつ、「愛する人と離別する苦しみ」「愛することのない人の近くで暮らすことを余儀なくされる苦しみ」です。⑨お釈迦様は生涯でどんな経験をされ、このふたつの状態を六大苦にお加えになったのでしょうか？⑩私が思いを馳せたのは、良心の囚人、難民、移民労働者と人身売買の被害者、家から引き離され家族や友人と離れ離れにされた多くの人たち、大地から根こそぎにされ、歓迎してくれるとは限らない見知らぬ人たちの中で生き抜かなくてはならなくなった人たちのことです。

their lives among strangers who are not always welcoming.

① We are fortunate to be living in an age when social welfare and humanitarian assistance are recognized not only as desirable but necessary. ② I am fortunate to be living in an age when the fate of prisoners of conscience anywhere has become the concern of peoples everywhere, an age when democracy and human rights are widely, if not universally, accepted as the birthright of all. ③ How often during my years under house arrest have I drawn strength from my favorite passages in the preamble (前文) to the Universal Declaration of Human Rights:

④ "Disregard and contempt for human rights have resulted in barbarous acts which have outraged the conscience of mankind, and the advent (到来) of a world in which human beings shall enjoy freedom of speech and belief and freedom from fear and want has been proclaimed (～を宣言する) as the highest aspirations of the common people.（中略）⑤ ... It is essential, if man is not to be compelled to have recourse, as a last resort (最終手段), to rebellion against tyranny (暴虐) and oppression, that human rights should be protected by the rule of law."

⑥ If I am asked why I am fighting for human rights in Burma, the above passages will provide the answer. ⑦ If I am asked why I am fighting for democracy in Burma, it is because I believe that democratic institutions and practices are necessary for the guarantee of human rights.

①私たちは幸いにも、社会福祉と人道的援助が望ましいだけではなく必要であると認められている時代に暮らしています。②私は幸いにも、世界中の良心の囚人の運命が世界中の国民の関心を集める時代に暮らしています。人間が誰でも生まれながらにして民主主義の権利と人権を持っていることが、全世界ではないにしても広く受け入れられている時代です。③自宅軟禁の年月に、国連世界人権宣言の前文のお気に入りの一節が私の力になってくれることが、何度あったことでしょう。

④「人権無視および軽侮が人類の良心を憤慨させる残虐行為を引き起こし、言論と信仰の自由および恐怖と貧困からの解放を享受する世界の到来が、一般大衆の最大の願望であると宣言された。（中略）⑤……人間が暴虐や迫害への最終手段として暴力に訴えることがないようにするためには、法の支配による人権保護が必要不可欠である」

⑥なぜ私がビルマで人権のために闘っているのか聞かれたら、上の一節がその答えになります。⑦なぜ私がビルマで民主主義のために闘っているのか聞かれたら、それは民主主義の制度と慣行が人権を保障するのに必要だと信じているからです。

①Over the past year, there have been signs that the endeavors of those who believe in democracy and human rights are beginning to bear fruit in Burma. ②There have been changes in a positive direction — steps towards democratization have been taken. ③If I advocate cautious optimism (用心しながらも楽観的に考えること), it is not because I do not have faith in the future but because I do not want to encourage blind faith. ④Without faith in the future, without the conviction that democratic values and fundamental human rights are not only necessary but possible for our society, our movement could not have been sustained throughout the destroying years. ⑤Some of our warriors fell at their post, some deserted us, but a dedicated core remained strong and committed. ⑥At times when I think of the years that have passed, I am amazed that so many remained staunch (忠実な) under the most trying circumstances. ⑦Their faith in our cause is not blind. ⑧It is based on a clear-eyed assessment of their own powers of endurance and a profound respect for the aspirations of our people.

⑨It is because of recent changes in my country that I am with you today. ⑩And these changes have come about because of you and other lovers of freedom and justice who contributed towards a global awareness of our situation. ⑪Before continuing to speak of my country, may I speak out for our prisoners of conscience. ⑫There still remain such prisoners in Burma. ⑬It is to be feared that because the best known detainees (囚人) have been released, the remainder — the unknown ones — will be forgotten.

①過去１年にわたって、民主主義と人権を信じる人たちの努力がビルマで結実してきています。②いい方向に変化してきています。民主主義への手段が講じられてきました。③もし私が慎重な楽観論を擁護しているとすれば、それは私が未来を信頼していないからではなく、盲目的な信念を奨励したくないからなのです。④未来への信頼がなければ、「民主主義的な価値観と基本的人権は、私たちの社会にとって必要なだけではなく、実践可能なのだ」という信念がなければ、私たちの運動は破壊的な時代を生き延びられなかったでしょう。⑤戦士の中には、持ち場で倒れたり、私たちの許を去ったりした人もいますが、献身的な核が力や情熱を失うことはありませんでした。⑥時々過ぎ去った年月を振り返ってみると、これ以上ないほど耐えがたい状況の下で非常に多くの人たちが忠実でいてくれたことに驚きを感じます。⑦そういった人たちが私たちの大義を盲信しているわけではありません。⑧目を見開いて自分たちの忍耐力を評価し、国民の希望に対して大きな尊敬の念を持っていることが、その基盤になっているのです。

⑨最近私の国で変化が起こったからこそ、今日私たちは皆さんと一緒にいます。⑩このような変化が起こったのは、皆さんをはじめとする自由と正義を愛する方々が、私たちの状況を世界に知らしめることに貢献してくださったからです。⑪私の国についての話を続ける前に、わが国の良心の囚人のためにお話しさせてください。⑫まだビルマにはそのような囚人がいます。⑬よく名前の知られた囚人が解放されてしまい、残りの無名な囚人が忘れ去られてしまう恐れがあります。

① I am standing here because I was once a prisoner of conscience. ② As you look at me and listen to me, please remember the often repeated truth that one prisoner of conscience is one too many. ③ Those who have not yet been freed, those who have not yet been given access to the benefits of justice in my country number much more than one. ④ Please remember them and do whatever is possible to effect (～を遂げる) their earliest, unconditional release.

（中略）

⑤ ... The peace of our world is indivisible. ⑥ As long as negative forces are getting the better of (～を負かす) positive forces anywhere, we are all at risk. ⑦ It may be questioned whether all negative forces could ever be removed. ⑧ The simple answer is "no." ⑨ It is in human nature to contain both the positive and the negative. ⑩ However, it is also within human capability to work to reinforce the positive and to minimize or neutralize the negative. ⑪ Absolute peace in our world is an unattainable goal. ⑫ But it is one towards which we must continue to journey, our eyes fixed on it as a traveler in a desert fixes his eyes on the one guiding star that will lead him to salvation. ⑬ Even if we do not achieve perfect peace on earth — because perfect peace is not of this earth — common endeavors to gain peace will unite individuals and nations in trust and friendship and help to make our human community safer and kinder.

①私がここに立っているのは、かつて良心の囚人だったからです。②私に目を向け、耳を傾けながら、よく言われる良心の囚人が数多くいるという真実を思い出してください。③良心の囚人はひとりでも多すぎなのだということを。まだ解放されていない人たち、まだ私の国で正義の恩恵にあずかれていない人は、ひとりにとどまりません。④そういった人たちのことをどうか忘れずに、できるだけ早く無条件で釈放されるように尽力してください。

（中略）

⑤……世界平和は分断できません。⑥どこかで否定的な力が肯定的な力を負かしている限り、私たちはみんな危険にさらされています。⑦否定的な力をすべて取り除くことができるかどうか疑問かもしれません。⑧単純な答えは「ノー」です。⑨善悪を両方持っているのが人間の本質です。⑩しかしながら、善を強めて悪を最小限にしたり中和したりするために努力できるのも、人間の能力にあります。⑪世界の絶対的な平和というのは、達成することのできない目標です。⑫しかし私たちはそれに向かって旅を続けていかなくてはならないのです。砂漠の旅人が救いを求めてたったひとつの導きの星を見据えるように、しっかりとその目標を見据えながら。⑬完ぺきな平和はこの世のものではありませんので、たとえ地上で完ぺきな平和を達成することができないとしても、みんなで平和を目指して努力をすれば、信頼や友情の中で人や国が一体となり、人間社会を安全で優しいものにする力になるのです。

①I used the word "kinder" after careful deliberation — I might say the careful deliberation of many years. ②Of the sweets of adversity — and let me say that these are not numerous — I have found the sweetest, the most precious of all, is the lesson I learned on the value of kindness. ③Every kindness I received, small or big, convinced me that there could never be enough of it in our world. ④To be kind is to respond with sensitivity and human warmth to the hopes and needs of others. ⑤Even the briefest touch of kindness can lighten a heavy heart. ⑥Kindness can change the lives of people. ⑦Norway has shown exemplary kindness in providing a home for the displaced of the earth, offering sanctuary to those who have been cut loose from the moorings (拠り所) of security and freedom in their native lands.

⑧There are refugees in all parts of the world. ⑨When I was at the Maela refugee camp in Thailand recently, I met dedicated people who were striving daily to make the lives of the inmates as free from hardship as possible. ⑩They spoke of their concerns over "donor fatigue," which could also translate as "compassion fatigue." ⑪"Donor fatigue" expresses itself precisely in the reduction of funding. ⑫"Compassion fatigue" expresses itself less obviously in the reduction of concern. ⑬One is the consequence of the other. ⑭Can we afford to indulge in (〜にふける) compassion fatigue? ⑮Is the cost of meeting the needs of refugees greater than the cost that would be consequent on turning an indifferent, if not a blind, eye on their suffering?

①私は考え抜いて、「優しい」という言葉を使いました。何年も考え抜いてきたと言ってもいいかもしれません。②逆境に喜びはあまり多くありませんが、私が分かったのは、その中でも最高の喜び、何より貴重な喜びは、優しさの価値について私が学んだ教訓です。③大小さまざまな優しさをいただいて、世界がどれだけ優しさに溢れていても十分すぎることはないと確信しました。④優しさとは、他人の希望や要求に敏感に、人間的な温かみをもって応えることです。⑤ごく一瞬でも優しさに触れれば、沈んだ心を明るくできます。⑥優しさで人生を変えることができるのです。⑦ノルウェーは地球で居場所を失った人たちに家を提供し、祖国で安全と自由の拠り所から切り離されてしまった人たちに保護を与えることで、模範となる優しさを示してきました。

⑧世界のいたるところに難民がいます。⑨私が最近タイのマエラ難民キャンプを訪れたとき、できるだけ収容されている人が生活で辛い思いをすることがないように、日々献身的に努力してくださっている方々にお会いしました。⑩そういった人たちが「援助疲れ」についての心配を口にしていました。「同情疲れ」と言い換えてもいいかも知れません。⑪「援助疲れ」は財政支援の減少という形で明確に現れます。⑫「同情疲れ」で関心が減っても、それほど明確にはなりません。⑬一方がもう一方の結果です。⑭私たちに「援助疲れ」にふける余裕はあるでしょうか？ ⑮難民の要求に応えるコストは、難民の苦しみを見て見ぬふりをした場合の代償よりも大きいでしょうか？

①I appeal to donors the world over to fulfill the needs of these people who are in search — often it must seem to them in vain — of refuge.

（中略）

②... Ultimately our aim should be to create a world free from the displaced, the homeless and the hopeless — a world of which each and every corner is a true sanctuary where the inhabitants will have the freedom and the capacity to live in peace. ③Every thought, every word, and every action that adds to the positive and the wholesome is a contribution to peace. ④Each and every one of us is capable of making such a contribution. ⑤Let us join hands to try to create a peaceful world where we can sleep in security and wake in happiness.

（中略）

⑥... When I joined the democracy movement in Burma, it never occurred to me that I might ever be the recipient of any prize or honor. ⑦The prize we were working for was a free, secure and just society where our people might be able to realize their full potential. ⑧The honor lay in our endeavor. ⑨History had given us the opportunity to give of our best for a cause in which we believed. ⑩When the Nobel Committee chose to honor me, the road I had chosen of my own free will became a less lonely path to follow.

endeavor：努力

①世界中のドナー（援助者）の皆さんに、逃げ場を探し求めている人たち、無力感に襲われることも多いに違いない人たちの要求に、応えていただくようお願いします。

（中略）

②……私たちの最終目標は、追放された人、家を失った人、希望を失った人がいない世界、住人が平和に暮らす自由と能力を持てる本当の聖域が隅々まで広がる世界を生み出すことであるべきです。③善と健全を高める考え、言葉、行動は、どれも平和への貢献になります。④私たちひとりひとりに、そのような貢献ができるのです。⑤手を取り合って努力し、安心して眠り、幸せに目覚めることのできる平和な世界を築くために手を取り合って努力していきましょう。

（中略）

⑥……私がビルマの民主運動に参加したときは、私が賞や栄誉を授かることになるとは思いもしませんでした。⑦私たちが目指していた賞は、人間が潜在能力を最大限発揮することのできる、自由で、安全で、正義ある世界。⑧その努力をすることが私たちにとっての栄誉でした。⑨歴史は、私たちが信じる大義を目指して最善を尽くす機会を与えてくれました。⑩ノーベル賞委員会が私を表彰する選択をしてくださったことで、私がひとりで道を歩んでいくことはなくなるのです。

① For this I thank the Committee, the people of Norway and peoples all over the world whose support has strengthened my faith in the common quest for peace. ② Thank you.

①これに対してノーベル賞委員会、ノルウェーをはじめとする世界各国の国民の皆さんに感謝いたします。皆さんが支持してくださったことで、共に平和を探求していこうという思いがいっそう強まりました。②ありがとうございました。

アウンサン・スーチー「ノーベル平和賞受賞記念講演」の背景

background

▶日本につながりのあるスーチーの人生の出発点

ビルマ（ミャンマー）の近・現代史をひもといたことがある方ならば面田紋次という名前に心当たりがあるかもしれない。姓の面田を緬甸と書き換えれば、この姓が持つ意味合いが読めてくる。かつての日本にはビルマを緬甸と書く習慣があった。アウンサン・スーチーの人生の出発点はこの面田紋次にたどりつく。

アジアの民族解放をスローガンに日本の軍部が東南アジアへの進出を計画していた頃、陸海軍の特務機関がアジアの植民地攻略の作戦を立て、それぞれ実行に移したことがあった。アジアの植民地には宗主国からの独立を求める民族主義者たちの組織があり、日本の政府や軍部は、彼らを軍事面でひそかに支援することによって、将来の武装蜂起につなげようと考えていた。

ビルマを対象にした作戦を担当したのは陸軍の鈴木敬司大佐で、鈴木大佐はラングーン（現ヤンゴン）大学の学生で、学生たちから圧倒的な支持を受けていたアウンサン青年を日本に対する協力者にすることを決めた。

アウンサンを含む30人の若者がひそかにバンコクから海南島に渡り、鈴木大佐が率いる日本軍特務機関の要員による軍事訓練を受けた。面田紋次というのは、その時に鈴木大佐がアウンサンに与えた日本名である。ちなみに1962年にクーデターで権力を握り、その後26年もの長い間、独裁体制をしいたネウィン将軍も30人の中核メンバーのひとりで、彼は高杉晋という日本名を使っていた。

アウンサン・スーチーはこのアウンサンを父とし、父が1942年に結婚したキンチーを母として1945年に生まれた。キンチーの父親は植民地解放の志向と強烈な正義感を持った政治家で、学生時代は指導者のひとりであった。いうなればスーチーは父親と母親の双方から正義を追求するリーダー、また活動家としての資質を受け継いでいたといえよう。

▶スーチーの政治活動とその姿勢

ニューヨークでの国連勤務をやめてスーチーがラングーンに戻ったのは、政治活動に従事するためではなかった。その頃には母親は介助が必要な状態になっており、母親の介助ができる人間がほかにいなかったからだ。スーチーは母親の介助を通して、弱者に目を向ける人間になっていく。そうした彼女が政治活動にのめり込んでいったのは、そこにネウィンという独裁者が存在していたからだ。スーチーは母親の介助と介護を全うし、母親のキンチーは1988年に76歳で世を去った。彼女の葬儀には全国から20万人が参列したと報道は伝えている。

1991年のノーベル平和賞をアウンサン・スーチーに贈るという発表文の中でノーベル平和賞委員会は、民主主義と基本的人権を求めて彼女が展開した非暴力的闘いを評価したと述べた。その年の12月10日の授賞式にスーチーは出席できず、代わりに夫のマイケル・アリスとふたりの息子がオスロ市庁舎の会場でメダルと賞状を受け取った。

純粋に近い民族主義者だった父親と比べると娘のスーチーはどちらかというと国際派の色合いが強い。1947年に父親が暗殺された後、母親がスーチーとふたりの兄たちの養育に当たったが、イギリスからの独立を果したビルマ政府主導部が母親に大使のポストを与えたため父親を失っていたにもかかわらず、一家はゆとりのある生活を維持していた。スーチーが後年イギリスに留学し、オックスフォード大学で学ぶことができたのも、こうした家庭の環境があったからだろう。

▶ミャンマーとスーチーが向かう未来

国際的な絆ということでいえば、スーチーの結婚もまた大きな意味を持っている。夫となったマイケル・アリスはチベット文化とブータン文化を研究する学者であり、その意味でも仏教徒であるスーチーの強力な精神的理解者であった。スーチーがのべ14年7カ月もの長い間ラングーンの自宅で軟禁に処せられていたとき、彼女の「苦しみ」(suffering)を理解し、癒やしと慰めを差しかけることができた人間は彼をおいてはなかっただろう。マイケルはスーチーが2012年6月16日に行ったノーベル平和賞受賞記念のスピーチを聴くことなく1999年3月に53歳で先立った。

アウンサン・スーチーは、はたしてミャンマーで初めての女性の大統領になるのだろうか？　現在のミャンマー憲法の規定は、外国人を配偶者に持つミャンマー人がミャンマーの大統領になることを禁止している。故人となった夫のマイケル・アリスは英国籍だった。克服しなければならない困難に直面しつつも彼女は強気であり希望を捨てていない。「(ミャンマーの) 大統領になりたくないと言ったら、不正直だ。ほかの誰よりも自分は国民に対して正直でありたい」。彼女は国際フォーラムがラングーンで開催した公開討論会でこう語っている。

05 ネルソン・マンデラ Nelson Mandela

釈放後初の演説（一部略）（1990年2月11日）

ロイター／アフロ

1918年7月18日当時英自治領だった南アフリカ連邦のトランスカイ（旧黒人自治区のひとつ）で生まれる。黒人の高等教育を目的として設立された公立大学に入学したものの、学生ストライキを指導したために退学処分を受け、反アパルトヘイト運動の中心的指導者に。国家反逆罪で逮捕され27年間服役。1990年釈放後、1994～99年大統領。2013年12月5日ヨハネスブルグの自宅で死去。

世界に与えたインパクト

1962年44歳で終身刑の判決を受けて刑務所に送られたネルソン・マンデラは獄中にあって、反アパルトヘイト運動の指導者としての地位を確立していく。国内にあってはかつての仲間たち、国外にあっては公民権運動の国際的指導者たちがマンデラを強力に支援した。国内・国際世論に抗し切れないと判断したデクラーク大統領は89年12月にマンデラと面会。翌90年2月11日、マンデラは27年に及んだ刑務所での拘束から解放される。刑務所を出たマンデラが向かったのはケープタウンの公会堂であった。

①Friends, comrades and fellow South Africans.

②I greet you all in the name of peace, democracy and freedom for all.

③I stand here before you not as a prophet but as a humble servant (卑しきしもべ) of you, the people. ④Your tireless (精力的な) and heroic sacrifices have made it possible for me to be here today. ⑤I therefore place the remaining years of my life in your hands.

⑥On this day of my release, I extend my sincere and warmest gratitude (感謝) to the millions of my compatriots (同胞たち) and those in every corner of the globe who have campaigned tirelessly for my release.

⑦I extend special greetings to the people of Cape Town, this city which has been my home for three decades. ⑧Your mass marches and other forms of struggle have served as (～の役割を果たす) a constant source of strength to all political prisoners.

⑨I salute the African National Congress（ANC）. ⑩It has fulfilled our every expectation in its role as leader of the great march to freedom.

⑪I salute our President, Comrade Oliver Tambo, for leading the ANC even under the most difficult circumstances.

⑫I salute the rank and file (一般組合員の、普通の人の) members of the ANC. ⑬You have sacrificed life and limb in the pursuit of the noble cause of our struggle.

⑭I salute combatants of Umkhonto we Sizwe, like Solomon Mahlangu and Ashley Kriel, who have paid the ultimate price (代償を払う) for the freedom of all South Africans.

①友人、同志、南アフリカ国民の皆さん。

②全員のための平和、民主主義、そして自由の名の下に、皆さんにごあいさつ いたします。

③私は予言者としてではなく、国民である皆さんの謙虚な僕(しもべ)として、ここで皆さんの前に立っています。④皆さんが精力的かつ勇敢に犠牲を払ってくださったおかげで、私は今日ここにいられるのです。⑤ですから私は余生を皆さんの手に委ねます。

⑥私が釈放されたこの日、何百万人の同胞に、そして私を解放するために精力的に運動してくださった世界中の方々に、心からの感謝を申し上げます。

⑦ 30 年にわたって私が暮らしてきた町、ケープタウンの方々に、特別にごあいさついたします。⑧皆さんが集団で行進したり、ほかの形で闘争したりしてくださったことが、絶えず政治囚の力の源になってきました。

⑨アフリカ民族会議（ANC）に敬意を表します。⑩自由への大行進のリーダーとしての役割への期待に、すべて応えてくださいました。

⑪最高に困難な状況下でも ANC を導いてくださった、同志のオリバー・タンボ議長に敬意を表します。

⑫ ANC の一般党員に敬意を表します。⑬皆さんは、私たちの気高い闘争の大義を追い求める中で、命や手足を犠牲にしてくださいました。

⑭ソロモン・マラグやアシュリー・クリエルのように、すべての南アフリカ人の自由のために究極の代償を払ってくださった、ウムコントゥ・ウェ・シズウェ（ANC の武装グループ）の戦闘員に敬意を表します。

①I salute the South African Communist Party for its sterling contribution to the struggle for democracy. ②You have survived 40 years of unrelenting persecution. ③The memory of great communists like Moses Kotane, Yusuf Dadoo, Bram Fischer and Moses Mabhida will be cherished for generations to come.

sterling 見事な / unrelenting persecution 容赦ない迫害 / cherished 心に抱く

④I salute General Secretary Joe Slovo, one of our finest patriots. ⑤We are heartened by the fact that the alliance between ourselves and the Party remains as strong as it always was.

patriots 愛国者

⑥I salute the United Democratic Front, the National Education Crisis Committee, the South African Youth Congress, the Transvaal and Natal Indian Congresses and COSATU and the many other formations of the Mass Democratic Movement.

⑦I also salute the Black Sash and the National Union of South African Students. ⑧We note with pride that you have acted as the conscience of white South Africa. ⑨Even during the darkest days in the history of our struggle you held the flag of liberty high. ⑩The large-scale mass mobilization of the past few years is one of the key factors which led to the opening of the final chapter of our struggle.

⑪I extend my greetings to the working class of our country. ⑫Your organized strength is the pride of our movement. ⑬You remain the most dependable force in the struggle to end exploitation and oppression.

exploitation 搾取

①民主主義への闘争に見事に貢献してくださった、南アフリカ共産党に敬意を表します。②皆さんは40年間にわたる容赦ない迫害に耐え抜いてきました。③モージズ・コタネ、ユスフ・ダドー、ブラム・フィッシャー、そしてモージズ・マビダのような偉大な共産主義者の記憶は、今後何世代にもわたって心に抱き続けられることでしょう。

④私たちの最高の愛国者のひとりであるジョー・スロボ（共産党）書記長に敬意を表します。⑤私たち（ANC）と（共産）党の同盟が、依然として強固なのは、私たちにとって励みです。

⑥統一民主戦線、全国教育危機委員会、南アフリカ青年同盟、トランスバールおよびナタールインド人同盟、COSATU（南アフリカ労働組合会議）、その他多くの草の根民主運動組織に敬意を表します。

⑦またブラック・サッシュ（反アパルトヘイトの女性団体）と南アフリカ全国学生連盟にも敬意を表します。⑧皆さんが南アフリカの白人の良心として行動してくださったことを、私たちは誇りを持って心にとどめています。⑨私たちの闘争の歴史の極度の暗黒時代でさえも、皆さんは自由の旗を高らかに掲げてくださいました。⑩ここ数年での大規模な大衆動員が重要な役割を果たし、私たちの闘争の最終章が開かれることになったのです。

⑪私たちの国の労働者階級の方々にごあいさついたします。⑫皆さんが一丸となって力を発揮してくださっているのは、私たちの運動の誇りです。⑬皆さんは、搾取と迫害に終止符を打つ闘争で、相変わらず何より頼もしい勢力なのです。

①I pay tribute to（～に敬意を表する） the many religious communities who carried the campaign for justice forward when the organizations for our people were silenced.

②I greet the traditional leaders of our country. ③Many among you continue to walk in the footsteps of great heroes like Hintsa and Sekhukune.

④I pay tribute to the endless heroism of youth, you, the young lions. ⑤You, the young lions, have energized our entire struggle.

⑥I pay tribute to the mothers and wives and sisters of our nation. ⑦You are the rock-hard foundation of our struggle. ⑧Apartheid（アパルトヘイト） has inflicted（～に（辛い）思いをさせる） more pain on you than on anyone else.

⑨On this occasion, we thank the world community for their great contribution to the anti-apartheid struggle. ⑩Without your support our struggle would not have reached this advanced stage. ⑪The sacrifice of the frontline states（前線諸国） will be remembered by South Africans forever.

⑫My salutations（あいさつ） will be incomplete without expressing my deep appreciation for the strength given to me during my long and lonely years in prison by my beloved wife and family. ⑬I am convinced that your pain and suffering was far greater than my own.

⑭Before I go any further I wish to make the point that（強調しておきたいことは～である） I intend making only a few preliminary（予備的な） comments at this stage. ⑮I will make a more complete statement only after I have had the opportunity to consult with my comrades.

①多くの宗教団体に敬意を表します。国民の組織が沈黙させられる中、正義のための運動を前進させてくださいました。

②私たちの国の伝統的な指導者にごあいさつ いたします。③皆さんの中の多くが、ヒンツァやセククネのような偉大な英雄の足跡をたどって歩き続けています。

④若き獅子、若者の皆さんの終わりのない英雄的な行為に敬意を表します。⑤皆さんたち若き獅子が、私たちの闘争全体を活性化してくださいました。

⑥私たちの国の、母、妻、姉妹に敬意を表します。⑦皆さんは私たちの闘争の強固な礎（いしずえ）です。⑧アパルトヘイトで皆さんはほかの誰よりも辛い思いをしてきました。

⑨この機会に、反アパルトヘイトの闘争に大きな貢献をしてくださった国際社会に感謝を申し上げます。⑩皆さんの支援がなければ、闘争がこの段階まで前進することはなかったでしょう。⑪前線諸国（南アフリカ共和国に接する諸国）が払ってくださった犠牲は、永遠に南アフリカ人の記憶にとどまることでしょう。

⑫あいさつをきちんと終わらせるには、私が長く孤独な年月を刑務所で送る間、愛する妻と家族が力になってくれたことに深く感謝をしなければなりません。⑬私よりもずっと痛く苦しい思いをしてきたに違いありません。

⑭話を進める前に強調しておきたいのは、この段階で少しお話ししようと思っているのは、前置きに過ぎないということです。⑮同志に相談する機会を持った後で初めて、もっと完全な声明を出します。

①Today the majority of South Africans, black and white, recognize that apartheid has no future. ②It has to be ended by our own decisive mass action in order to build peace and security.

③The mass campaigns of defiance (抵抗) and other actions of our organization and people can only culminate in (極まって～になる) the establishment of democracy.

④The apartheid's destruction on our subcontinent (亜大陸) is incalculable. ⑤The fabric of family life of millions of my people has been shattered (粉砕される). ⑥Millions are homeless and unemployed. ⑦Our economy lies in ruins, and our people are embroiled in (～に巻き込まれる) political strife.

⑧Our resort to the armed struggle in 1960 with the formation of the military wing of the ANC, Umkhonto we Sizwe, was a purely defensive action against the violence of apartheid. ⑨The factors which necessitated (～を必要とする) the armed struggle still exist today. ⑩We have no option but to continue. ⑪We express the hope that a climate conducive (電導性のある) to a negotiated settlement would be created soon so that there may no longer be the need for the armed struggle.

⑫I am a loyal and disciplined member of the African National Congress. ⑬I am therefore in full agreement with all of its objectives, strategies and tactics.

①今日、南アフリカ人の大多数は、黒人も白人も、アパルトヘイトに未来はないと認識しています。②平和と安全を構築するには、私たち自身が決定的な集団行動を起こすことで、終止符を打たなくてはならないのです。

③集団で抵抗運動を行ったりするなど、私たちの組織と国民は行動を起こしてきたわけですが、それは民主主義の確立という結果にしかなりえません。

④アパルトヘイトが私たちの亜大陸にもたらした破壊は、計り知れないものです。⑤何百万もの国民の家族生活の基本構造が粉砕されました。⑥何百万もの人が家を失い、職を失っています。⑦私たちの経済は荒廃し、国民は政治闘争に巻き込まれています。

⑧ 1960 年、私たちが ANC の軍事組織であるウムコントゥ・ウェ・シズウェを編成し、武装闘争に訴えたのは、純粋にアパルトヘイトの暴力に対する防衛措置でした。⑨武装闘争を余儀なくさせた要因は、今日も依然として存在しています。⑩私たちには継続していくよりほかありません。⑪武装闘争が必要なくなるように、交渉による解決へと導いてくれる風潮がすぐに生まれるよう願っています。

⑫私はアフリカ民族会議の忠実で規律ある一員です。⑬ですからその目的、戦略、そして戦術にすべて賛成です。

※網かけ部分は音声にありません。

（中略）

① Today, I wish to report to you that my talks with the government have been aimed at normalizing the political situation in the country. ② We have not as yet begun discussing the basic demands of the struggle. ③ I wish to stress that I myself have at no time entered into negotiations about the future of our country except to insist on a meeting between the ANC and the government.

④ Mr. De Klerk has gone further than any other Nationalist president in taking real steps to normalize the situation. ⑤ However, there are further steps as outlined in the Harare Declaration that have to be met before negotiations on the basic demands of our people can begin. ⑥ I reiterate (～を繰り返す) our call for, inter alia (特に), the immediate ending of the State of Emergency and the freeing of all, and not only some political prisoners. ⑦ Only such a normalized situation, which allows for free political activity, can allow us to consult our people in order to obtain a mandate.

（中略）

①今日皆さんにお伝えしたいのは、私と政府の協議が国の政治的状況を正常化することを狙ってきたものだということです。②闘争の基本的な要求についての議論はまだ始まっていません。③強調したいのは、私自身が国の将来についての交渉に入ったことは決してなく、ただANCと政府の会談を要求しただけだということです。

④デクラーク氏は、国民党のほかの大統領以上に踏み込んで、状況を正常化する対策を実際に講じてきました。⑤しかしながら、ハラレ宣言に書かれているように、さらに対策を講じていかなければ、国民の基本的な要求に関する交渉を始めることはできません。⑥繰り返し要求します、国家非常事態宣言を即座に解除し、一部の政治囚だけでなく全員を解放することを。⑦そのような正常な状態になり、自由な政治活動が可能になって初めて、委託を得られるよう国民に相談することができるのです。

※網かけ部分は音声にありません。

① The people need to be consulted on who will negotiate and on the content of such negotiations. ② Negotiations cannot take place above the heads or behind the backs of our people. ③ It is our belief that the future of our country can only be determined by a body which is democratically elected on a nonracial basis. ④ Negotiations on the dismantling of apartheid will have to address (対処する) the overwhelming demand of our people for a democratic, nonracial and unitary South Africa. ⑤ There must be an end to white monopoly on political power and a fundamental restructuring of our political and economic systems to ensure that the inequalities of apartheid are addressed and our society thoroughly democratized.

⑥ It must be added that Mr. De Klerk himself is a man of integrity (人格者) who is acutely aware of the dangers of a public figure not honoring his undertakings. ⑦ But as an organization we base our policy and strategy on the harsh reality we are faced with. ⑧ And this reality is that we are still suffering under the policy of the Nationalist government.

⑨ Our struggle has reached a decisive moment. ⑩ We call on our people to seize this moment so that the process towards democracy is rapid and uninterrupted. ⑪ We have waited too long for our freedom. ⑫ We can no longer wait. ⑬ Now is the time to intensify the struggle on all fronts. ⑭ To relax our efforts now would be a mistake which generations to come will not be able to forgive. ⑮ The sight of freedom looming (浮かび上がる) on the horizon should encourage us to redouble our efforts.

①誰が交渉を担当するのか、その交渉の中身をどうするのか、国民に相談しなければならないのです。②国民の頭上や背後で交渉を行うことはできません。③私たちの信念は、国の将来を決定できるのは人種差別のない形で民主主義的に選出された組織しかないというものです。④アパルトヘイトの廃止に関する交渉を行って、民主主義的で、人種差別のない、統一された南アフリカを求める国民の絶大な要求に、対処していかなくてはならなくなります。⑤白人による政治権力の独占に終止符を打ち、政治経済制度の抜本的な再改革を行って、確実にアパルトヘイトの不平等に対処し、社会が完全に民主化されるようにしていかなくてはなりません。

⑥付け加えなくてはならないのは、デクラーク氏自身が人格者で、公人が自分の引き受けた約束を守らないのは危険だと強く認識していることです。⑦しかし組織としての私たちの方針と戦略の基盤になっているのは、私たちが直面している厳しい現実です。⑧そしてこの現実とは、私たちがまだ国民党政府の方針の下で苦しんでいることです。

⑨私たちの闘争は､決定的な瞬間に達しています。⑩私たちは国民に求めます、この機会を捉えて、民主主義に向かう過程を迅速で不断のものにしていくことを。⑪私たちはあまりに長く、自由を待ち続けてきました。⑫これ以上待つことはできません。⑬今こそが、あらゆる局面で闘争を強化するときなのです。⑭努力を緩めてしまえば、今後何世代もの人たちが許すことのない過ちを犯してしまうことになります。⑮地平線に浮かび上がってきた自由の姿を励みに、私たちはいっそうの努力をするべきなのです。

①It is only through disciplined mass action that our victory can be assured. ②We call on our white compatriots to join us in the shaping of a new South Africa. ③The freedom movement is a political home for you too. ④We call on the international community to continue the campaign to isolate the apartheid regime. ⑤To lift sanctions now would be to run the risk of aborting the process towards the complete eradication of apartheid.

aborting 失敗させる
eradication 撲滅

⑥Our march to freedom is irreversible. ⑦We must not allow fear to stand in our way. ⑧Universal suffrage on a common voters' role in a united democratic and nonracial South Africa is the only way to peace and racial harmony.

stand in our way 私たちの邪魔をする
Universal suffrage 普通選挙権

⑨In conclusion I wish to quote my own words during my trial in 1964. ⑩They are true today as they were then. I quote:

⑪"I have fought against white domination, and I have fought against black domination. ⑫I have cherished the ideal of a democratic and free society in which all persons live together in harmony and with equal opportunities. ⑬It is an ideal which I hope to live for and to achieve. ⑭But if needs be, it is an ideal for which I am prepared to die."

if needs be 必要であれば

①私たちが規律ある集団行動をして初めて、勝利を確実なものにできます。②私たちは、白人の同胞に新しい南アフリカの形成に加わっていただくようお願いします。③解放運動は皆さんにとっても政治的な拠り所なのです。④国際社会に、アパルトヘイト政権を孤立させる運動を継続していただくようお願いします。⑤今制裁を解除してしまうと、アパルトヘイトを完全に撲滅させる過程が頓挫してしまう恐れがあります。

⑥自由への行進は、後戻りできません。⑦恐怖が足かせになるようなことがあってはなりません。⑧統一した、民主主義的で、人種差別のない南アフリカを築く上で、一般の有権者が役割を果たせる普通選挙権が、平和と人種間の協調への唯一の道なのです。

⑨最後に1964年の裁判での自分の言葉を引用したいと思います。⑩当時と変わらず今でも真実です。引用します。

⑪「私は白人支配と闘ってきました。そして黒人支配と闘ってきました。⑫私が大切にしてきたのは、すべての人が協調し、平等の機会を持つ、民主的で自由な社会という理念です。⑬私の生きがいであり、目標である理念です。⑭しかし必要であれば、命を捧げる覚悟ができている理念なのです」

ネルソン・マンデラ「釈放後初の演説」の背景

background

▶人々を熱狂させた本拠地ケープタウンでの釈放後の第一声

ケープタウンの中心部に建つタウンホール（公会堂）は、宗主国であった時代のイギリスが植民地帝国の栄光の象徴を残すために建てた公共建築物のひとつである。外壁を彩る石灰岩は、わざわざ本国南西部のバースから運び込んだとされている。ネルソン・マンデラは釈放後の第一声を上げる場所として、この公会堂を選んだ。

マンデラがこの場所を選んだのは、ケープタウンという町がマンデラの人生と大きく関わっていたからだ。国家に対する反逆の罪で終身刑の判決を受けて18年間服役したロッベン島刑務所、ロッベン島刑務所から移管されたポールズモア刑務所、さらには釈放される直前の14カ月間をすごしたヴィクター・フェルスター刑務所の３カ所ともがケープタウンにあり、服役する前にヨハネスブルグの黒人居住区ソウェトに家族と暮らしていた家があったとはいえ、マンデラにとっての人生の本拠地はと問われれば、出てくるのはケープタウンの刑務所という答えであった。

▶南アフリカの国民をまとめた反アパルトヘイト運動

公会堂のバルコニーに立ち、前の広場を埋め尽くした支持者や関係者たちに対したマンデラは、あらかじめ用意した原稿を読み上げる。友人、同志、南アフリカ国民の皆さん……で始まる30分間の演説は入念に推敲を重ねたものであり、原稿からの逸脱もアドリブもない。仲間と支持者たちに感謝の意を表し、自己の信念を披瀝する内容であるが、その大半は仲間と支持者に対する感謝のことばに費やされる。自分自身の刑務所からの釈放は反アパルトヘイト闘争の勝利の結果ではあっても、その勝利を勝ち取った者が誰であったかということになると、問題は複雑になる。反アパルトヘイト闘争のシンボルになったマンデラとしては、シンボルは限りなくシンボルに近ければ近いほど望ましい存在ではあるが、他方、シンボルが偶像化し無力化するおそれがある。27年間刑務所の中から外の世界を観察し分析を重ねてきたマンデラにとってのジレンマがそれであった。

マンデラが謝意を捧げる対象の第一にアフリカ民族会議（ANC）とANCのオリバー・タンボ議長を固有名詞で挙げたのは、その意味で当然の選択であった。細部を論じればANCには共産党員もいるし、過激分子も存在するが、そもそもANCがマハトマ・ガンジーが設立したインド国民会議（INC）をモデルにして作られたもので、INCが非暴力と不服従を旗印にしていたことを想起すれば、そのアフリカ版ともいえるANCを反アパルトヘイト運動の最前線に置くことには反対しがたいという心理が人々にはあった。加えてオリバー・タンボは、マンデラが学生時代から心を許した盟友であった。

▶命を賭して勝ち取った植民地思想の終焉

マンデラを刑務所から釈放するという最後の決断をした重要な人物がいる。1989年8月15日から94年5月10日まで大統領を務めたフレデリック・ウイレム・デクラークである。デクラークは大統領に就任した年、服役中のマンデラを訪れ、会談している。マンデラが釈放されるのはその翌年である。マンデラはケープタウンの公会堂で行った演説の中で2度にわたってデクラークの名前を出している。最初のくだりではデクラークがそれまでの白人の大統領に比べて、状況を改善することに努力をしたと評価し、後のくだりでもデクラークは誠実な人柄であり、実行力を期待していると述べている。デクラークはそののち大統領として非常事態宣言を解除したのをはじめ、すべてのアパルトヘイト法を廃止すると宣言するなど、南アフリカの正常化に向けて努力し、大統領在任中の1993年にはマンデラと共にその年のノーベル平和賞の受賞者に選ばれている。

「アパルトヘイトに未来はない」（apartheid has no future）とマンデラは宣言し、平和と安全を構築するためにアパルトヘイトをわれわれの決定的な大衆行動で終わらせなければならない、と続ける。刑務所でマンデラと会談したデクラークもおそらくは同様の思いを持っていたに違いない。

海外に多くの植民地を抱えていた時代の宗主国イギリスは、植民地の人々に限りなくイギリスに近い国になり、限りなくイギリス人に近い人間になることが理想であり目標であると説いた。しかし差別は差別であり、肌の色の違いに基づく差別は差別される側が決して容認しないだろうということを支配する側の人間は理解しえなかった。ケープタウンの公会堂がいかにイギリス風であろうと、マンデラやタンボの入学を許したフォート・ヘア大学がいかにアフリカのオックスフォードと自称しても、南アフリカにおける被差別の実態を解決することはできなかったのだ。社会復帰から4年後の1994年、マンデラは大統領選挙に立候補して当選、99年まで務め退任した。アパルトヘイト体制が撤廃された後の初めての黒人大統領である。2013年12月5日死去。

06 バラク・オバマ大統領 Barack Obama

就任演説（2009年1月20日）

Pete Souza, The Obama-Biden Transition Project

1961年8月4日アメリカ・ハワイ州生まれ。幼少期はハワイとインドネシア・ジャカルタを中心に過ごし、1983年にコロンビア大学を卒業、1991年にハーバード大学法科大学院を修了、その後シカゴ大学などの講師を務める。1997～2004年までイリノイ州議会上院議員、2005～2008年までアメリカ連邦議会上院議員。2009年1月、アメリカ合衆国大統領に就任。2期8年をつとめて2017年1月に退任。

世界に与えたインパクト

アメリカは常に前進する国だ。建国230年あまりにして、初めての非白人の大統領を選んだ。その大統領は黒人奴隷の子孫ではなく、アフリカからの留学生の血を引く人物であったというのも、すぐれてアメリカ的である。タブーを打ち破りながら大統領を選んで来たアメリカは2008年の選挙でアフリカ系の大統領を選んだことから、大きな挫折を味わうことになる。アメリカはまだそこまで熟していなかったのだ。

My fellow citizens:

① I stand here today humbled by the task before us, grateful for the trust you have bestowed, mindful of the sacrifices borne by our ancestors. ② I thank President Bush for his service to our nation, as well as the generosity and cooperation he has shown throughout this transition.

③ Forty-four Americans have now taken the presidential oath. ④ The words have been spoken during rising tides of prosperity and the still waters of peace. ⑤ Yet, every so often (ときどき) the oath is taken amidst gathering clouds and raging storms. ⑥ At these moments, America has carried on (続ける) not simply because of the skill or vision of those in high office, but because we the people have remained faithful to the ideals of our forebears, and true to our founding documents.

⑦ So it has been. ⑧ So it must be with this generation of Americans.

⑨ That we are in the midst of crisis is now well understood. ⑩ Our nation is at war, against a far-reaching network of violence and hatred. ⑪ Our economy is badly weakened, a consequence of greed and irresponsibility on the part of (～の側の) some, but also our collective failure to make hard choices and prepare the nation for a new age. ⑫ Homes have been lost; jobs shed; businesses shuttered. ⑬ Our health care is too costly; our schools fail too many; and each day brings further evidence that the ways we use energy strengthen our adversaries and threaten our planet.

国民の皆さん。

①私は、目の前にある任務に対して厳粛な思いで、皆さんからいただいた信頼に感謝し、祖先たちが払ってくれた犠牲に思いを馳せて、今日この場に立っています。②ブッシュ大統領に対しましては、国のために尽くしてくださったこと、この政権移行期間を通じて寛大な気持ちで協力してくださったことに感謝申し上げます。

③これで44人のアメリカ人が、大統領就任の宣誓を行ったことになります。④宣誓は、上げ潮のように繁栄が高まったときや、波風が立たない水面のように平和な時代に行われたこともあります。⑤しかし、時には暗雲が垂れ込め、嵐が猛威を振るう時代に行われることもあるのです。⑥そういったときにもアメリカが前進を続けてこられたのは、単に政府高官が手腕を振るい、洞察力を駆使してきたからではなく、国民が祖先の理念と建国の文書に忠実であり続けてきたからなのです。

⑦ずっとそうあり続けてきました。⑧この世代のアメリカ人も、そうでなくてはなりません。

⑨私たちが危機の真っただ中にあるというのは、周知の事実です。⑩わが国は、広範囲に及ぶ暴力と憎しみのネットワークを相手に戦争状態にあります。⑪経済はぜい弱化しています。これには一部の人間が貪欲かつ無責任な行動を行ってきた結果という側面もありますが、私たちが全体として、厳しい選択を下し、新たな時代に備えることを怠ってきた結果でもあるのです。⑫家が失われ、職がなくなり、企業が倒産しています。⑬医療が高額すぎる。学校に失望する人が多すぎる。そして私たちのエネルギーの消費の仕方のせいで敵が勢力を増し地球が脅かされているという証拠が、日ごとに増えています。

① These are the indicators of crisis, subject to data and statistics. ② Less measurable but no less profound is a sapping of confidence across our land — a nagging fear that America's decline is inevitable, and that the next generation must lower its sights.

subject to：～を条件として
must lower its sights：目標を下げる

③ Today I say to you that the challenges we face are real. ④ They are serious and they are many. ⑤ They will not be met easily or in a short span of time. ⑥ But know this, America — they will be met.

⑦ On this day, we gather because we have chosen hope over fear, unity of purpose over conflict and discord.

⑧ On this day, we come to proclaim an end to the petty grievances and false promises, the recriminations and worn out dogmas, that for far too long have strangled our politics.

⑨ We remain a young nation, but in the words of Scripture, the time has come to set aside childish things. ⑩ The time has come to reaffirm our enduring spirit; to choose our better history; to carry forward that precious gift, that noble idea, passed on from generation to generation: the God-given promise that all are equal, all are free and all deserve a chance to pursue their full measure of happiness.

set aside：～を退ける

⑪ In reaffirming the greatness of our nation, we understand that greatness is never a given. ⑫ It must be earned. ⑬ Our journey has never been one of shortcuts or settling for less.

given：当たり前のこと
settling for：～で妥協する

①これらは、データと統計に基づく危機の指標です。②それほど測定しやすくはないのですが、同じくらい重要なのが、全米で自信が失われつつあるということです。アメリカの衰退は必然であり、次の世代は目標を下げるしかないという恐怖感にさいなまれてしまっているのです。

③今日皆さんに申し上げたいのは、私たちが直面する試練は現実のものであるということです。④試練は深刻なもので、その数も多いのです。⑤簡単に、あるいは短期間で対処できるようなものではありません。⑥しかし、アメリカの皆さんには分かっていただきたいのです、これらの試練は必ず対処されるということを。

⑦今日こうして集まっているのは、私たちが恐怖より希望を、対立と不和より目的の共有を選択したからこそです。

⑧些細なことで嘆いたり、偽りの約束を交わしたり、中傷合戦を繰り広げたり、陳腐な信念に固執したりすることで、わが国の政治は、あまりにも長期間にわたって阻害されてきましたが、それに終止符を打つために今日私たちはやってきたのです。

⑨アメリカは依然として若い国家ではありますが、聖書の言葉を借りるなら、子供じみたことは打ち捨てるときが来たのです。⑩不朽の精神を再確認し、より良い歴史を選択し、世代から世代へと受け継がれてきた貴い贈り物と気高い理念を推進していく時がやってきました。それは、すべての人が平等で、自由で、最大限の幸福を追求する機会に値するという、神からの約束のことです。

⑪わが国の偉大さを再確認する際、私たちには偉大さは当たり前のことではないと分かっています。⑫それは勝ち取らなければならないものなのです。⑬私たちがここまで歩んでくる中で、近道をしたり妥協したりすることは決してありませんでした。

①It has not been the path for the faint-hearted — for those who prefer leisure over work, or seek only the pleasures of riches and fame. ②Rather, it has been the risk-takers, the doers, the makers of things — some celebrated but more often men and women obscure in their labor — who have carried us up the long, rugged path towards prosperity and freedom.

③For us, they packed up their few worldly possessions and traveled across oceans in search of a new life.

④For us, they toiled in sweatshops and settled the West; endured the lash of the whip and plowed the hard earth.

toiled in: 骨折って働く　sweatshops: 労働搾取工場

⑤For us, they fought and died, in places like Concord and Gettysburg; Normandy and Khe Sanh.

⑥Time and again these men and women struggled and sacrificed and worked till their hands were raw so that we might live a better life. ⑦They saw America as bigger than the sum of our individual ambitions; greater than all the differences of birth or wealth or faction.

Time and again: 何度となく

⑧This is the journey we continue today. ⑨We remain the most prosperous, powerful nation on Earth. ⑩Our workers are no less productive than when this crisis began. ⑪Our minds are no less inventive, our goods and services no less needed than they were last week or last month or last year. ⑫Our capacity remains undiminished. ⑬But our time of standing pat, of protecting narrow interests and putting off unpleasant decisions — that time has surely passed.

standing pat: そのままにしておく　putting off: 延期する

①働くよりも楽することを好んだり、富と名声の喜びだけを求めたりするような臆病者には歩むことのできない道のりだったのです。②そうではなく、危険を顧みない人々、実行に移す人々、物を作り出す人々こそが、繁栄と自由へと続く長く険しい道を導いてきてくれました。その中には歴史に名高い人物もいますが、むしろ無名ながらも努力を惜しまなかった人々であることのほうが多いのです。

③私たちのために、そういった人々はわずかな財産をまとめて、新しい生活を求めて海を越えました。

④私たちのために、劣悪な条件の下で懸命に働き、西部に移住し、むち打ちに堪え、固い大地を耕したのです。

⑤私たちのために、コンコード（独立戦争の端緒となった戦いの場）、ゲティスバーグ（南北戦争最後の大決戦場）、ノルマンディー（第２次世界大戦中の史上最大の上陸作戦）、ケサン（ベトナム戦争最大の激戦地）のような場所で戦い、死んでいったのです。

⑥私たちがより良い暮らしができるようにと、何度も悪戦苦闘し、犠牲を払い、手の皮がすりむけるまで働いたのです。⑦そういった人たちは、アメリカが個人の野心の総和以上のものであり、生まれや富や党派といったあらゆる違いを超越するほど偉大なものだと考えていたのです。

⑧これは現在も続いている旅です。⑨わが国は今でも世界一の繁栄を極めた最強の国家です。⑩わが国の労働者の生産性は、この危機が起こったときと変わらないままです。⑪私たちの精神には変わらず創造力が溢れ、私たちの製品やサービスには、先週、先月、昨年と変わらず需要があります。⑫私たちの能力は衰えてはいないのです。⑬しかし、頑なな態度を崩さず、私利私欲に固執し、面倒な決断を先送りにするような時代が過去のものになったことは間違いありません。

①Starting today, we must pick ourselves up, dust ourselves off, and begin again the work of remaking America.

②For everywhere we look, there is work to be done. ③The state of the economy calls for action, bold and swift, and we will act — not only to create new jobs, but to lay a new foundation for growth. ④We will build the roads and bridges, the electric grids and digital lines that feed our commerce and bind us together. ⑤We will restore science to its rightful (ふさわしい) place, and wield technology's wonders to raise health care's quality and lower its cost. ⑥We will harness the sun and the winds and the soil to fuel our cars and run our factories. ⑦And we will transform our schools and colleges and universities to meet the demands of a new age. ⑧All this we can do. ⑨All this we will do.

⑩Now, there are some who question the scale of our ambitions — who suggest that our system cannot tolerate too many big plans. ⑪Their memories are short. ⑫For they have forgotten what this country has already done; what free men and women can achieve when imagination is joined to common purpose, and necessity to courage.

⑬What the cynics fail to understand is that the ground has shifted beneath them — that the stale political arguments that have consumed us for so long no longer apply.

①今日から、私たちは自らを奮い立たせ、ほこりを払い、アメリカ再生という作業に再び取りかからなくてはならないのです。

②どこを見渡しても、なすべき作業が待っています。③経済の状況は大胆かつ迅速な行動を求めており、私たちは行動を起こすのです。新たな雇用を創出するだけではなく、新たな成長の礎を築くために。④道路や橋、配電網やデジタル通信網を整備することで、商業に貢献し、国民の一体感を高めます。⑤科学をあるべき姿に復興し、科学技術の粋を駆使して医療の質を高めるとともに経費を削減します。⑥太陽、風力、地熱を利用し、自動車や工場の燃料としていきます。⑦学校、単科大学、総合大学の改革を行い、新時代の要求に応えます。⑧すべて私たちには可能なことです。⑨私たちはこれらすべてを実行に移すのです。

⑩さて、中には私たちの志の大きさを疑問視する人もいます。アメリカの制度はそんなに多くの大規模な計画に耐えうるものではないという人たちです。⑪そういった人々の記憶には、最近のことしか残っていません。⑫この国がすでにどれほどのことを達成してきたのか、創造力が共通の目的と結びつき必要性が勇気と結びついた場合に、自由な人々にはどれほどのことが達成できるのか「忘れてしまっている」からです。

⑬冷笑的な見方をする人たちは、足元で地殻変動が起こったことに気づいていません。私たちを長い間消耗させてきた陳腐な政治論争は、もはや通用しないということです。

① The question we ask today is not whether our government is too big or too small, but whether it works — whether it helps families find jobs at a decent wage, care they can afford, a retirement that is dignified. ② Where the answer is yes, we intend to move forward. ③ Where the answer is no, programs will end. ④ Those of us who manage the public's dollars will be held to account (責任を問う) — to spend wisely, reform bad habits, and do our business in the light of day — because only then can we restore the vital trust between a people and their government.

⑤ Nor is the question before us whether the market is a force for good or ill. ⑥ Its power to generate wealth and expand freedom is unmatched, but this crisis has reminded us that without a watchful eye, the market can spin out of control — and that a nation cannot prosper long when it favors only the prosperous. ⑦ The success of our economy has always depended not just on the size of our gross domestic product, but on the reach of our prosperity; on our ability to extend opportunity to every willing heart — not out of charity, but because it is the surest route to our common good.

⑧ As for our common defense, we reject as false the choice between our safety and our ideals. ⑨ Our founding fathers, faced with perils we can scarcely imagine, drafted a charter to assure the rule of law and the rights of man, a charter expanded by the blood of generations. ⑩ Those ideals still light the world, and we will not give them up for expedience's sake.

①私たちが今日問うているのは、政府が大きすぎるのか小さすぎるのかという問題ではなく、政府が機能するのかどうかという問題です。つまり家族が一定水準の賃金を得られる仕事を見つけ、手ごろな費用で医療福祉を受け、定年後に真っ当な生活を送るための支援ができるかという問題なのです。②その答えがイエスである分野については、私たちは行動を起こすつもりです。③ノーである分野については、施策を廃止します。④私たち血税を預かる立場にある人々には、責任が求められます。賢明な支出を行い、悪弊を改め、透明な形で業務をこなす責任です。そうすることで初めて、国民と政府の間に不可欠な信頼関係を回復させることができるのですから。

⑤私たちが問うているのは、市場の善悪でもありません。⑥市場には富を創出し、自由を拡大していくことのできる比類ない力がありますが、今回の危機によって、しっかりと監視しなければ市場が制御不能になってしまう恐れがあることを思い知らされました。そして富裕層ばかりひいきにしてしまうような国家は長く繁栄できないということも思い知らされました。⑦わが国の経済的な成功は、国内総生産の規模だけではなく、繁栄がどこまで浸透しているのかという点に昔から左右されてきました。意欲のあるすべての人に機会を与えることができるかどうかという点が目安となってきたのです。それは慈善心から生じるものではなく、それこそが共通の利益へとつながる最も手堅い方法だからなのです。

⑧国防に関しては、安全と理想は二者択一であるという考えは、誤ったものとして拒絶します。⑨アメリカ建国の父たちは、私たちにはほとんど想像することができないような危機に直面する中で、法治と人権を保障する憲章、何世代もの人々が血を流すことで発展してきた憲章を起草しました。⑩この理念が現在でも世界を照らしており、私たちがそれを便宜目的で手放すようなことはありません。

①And so to all the other peoples and governments who are watching today, from the grandest capitals to the small village where my father was born: know that America is a friend of each nation and every man, woman, and child who seeks a future of peace and dignity, and we are ready to lead once more.

②Recall that earlier generations faced down (抑え込む) fascism and communism not just with missiles and tanks, but with sturdy alliances and enduring convictions. ③They understood that our power alone cannot protect us, nor does it entitle (権利を与える) us to do as we please. ④Instead, they knew that our power grows through its prudent use; our security emanates from the justness of our cause, the force of our example, the tempering qualities of humility and restraint.

⑤We are the keepers of this legacy. ⑥Guided by these principles once more, we can meet those new threats that demand even greater effort — even greater cooperation and understanding between nations. ⑦We will begin to responsibly leave Iraq to its people, and forge a hard-earned (苦労して手に入れた) peace in Afghanistan. ⑧With old friends and former foes, we will work tirelessly to lessen the nuclear threat, and roll back the specter of a warming planet. ⑨We will not apologize for our way of life, nor will we waver in its defense, and for those who seek to advance their aims by inducing terror and slaughtering innocents, we say to you now that our spirit is stronger and cannot be broken; you cannot outlast us, and we will defeat you.

①ですから、最高に壮大な首都から、私の父が生まれた小さな村に至るまで、今日就任演説を見てくださっている各国の国民や政府の方々全員に申し上げたいのは、アメリカは自由と尊厳のある未来を求めるすべての国家、男女、子供たちの友人であり、私たちには再び指導力を発揮する用意があるということです。

②思い出してください、先人たちが、ミサイルや戦車だけではなく、強固な同盟や揺るぎない信念によって、ファシズムや共産主義を屈服させたということを。③先人たちには分かっていました、国力だけで自らを守れるわけでもなく、国力を振りかざして勝手気ままにふるまうことが許されるわけでもないことが。④分かっていたのです、国力は慎重に使ってこそ強まっていくということが。安全というのは、大義の正当性、模範となる力、謙虚さと自制心という穏やかな資質から生まれるものだということが。

⑤私たちはこの遺産の継承者です。⑥再びこういった原則を指針とすることで、よりいっそうの努力、つまり、よりいっそうの国家協力と理解が要求されるような新たな脅威にも、立ち向かっていけるのです。⑦手始めに、私たちは責任を持ってイラクをイラク国民に委ねるとともに、アフガニスタンでは力を尽くして平和を勝ち取っていく作業を行います。⑧古くからの同盟国やかつての敵対国と力を合わせ、私たちは不断の努力で核の脅威を削減し、地球温暖化の恐怖を減少させていきます。⑨私たちは自らの生き方に対して弁解するつもりはありませんし、臆することなくそれを守っていきますが、恐怖心をあおり、無実な人を惨殺することで目的の推進を図ろうとする者に今伝えたいのは、私たちの精神のほうが強く、打ち破られることはない、私たちがそういった者より先に滅びることはなく、私たちがそういった者を打ち負かす、ということです。

①For we know that our patchwork heritage is a strength, not a weakness. ②We are a nation of Christians and Muslims, Jews and Hindus — and non-believers. ③We are shaped by every language and culture, drawn from every end of this Earth; ④and because we have tasted the bitter swill of civil war and segregation, and emerged from that dark chapter stronger and more united, we cannot help but believe that the old hatreds shall someday pass; that the lines of tribe shall soon dissolve; that as the world grows smaller, our common humanity shall reveal itself; and that America must play its role in ushering in a new era of peace.

swill 残飯

⑤To the Muslim world, we seek a new way forward, based on mutual interest and mutual respect. ⑥To those leaders around the globe who seek to sow conflict, or blame their society's ills on the West — know that your people will judge you on what you can build, not what you destroy. ⑦To those who cling to power through corruption and deceit and the silencing of dissent, know that you are on the wrong side of history; but that we will extend a hand if you are willing to unclench your fist.

⑧To the people of poor nations, we pledge to work alongside you to make your farms flourish and let clean waters flow; to nourish starved bodies and feed hungry minds.

①私たちには、つぎはぎだらけの遺産が短所ではなく長所だとわかっているからです。②私たちは、キリスト教徒、イスラム教徒、ユダヤ教徒、ヒンズー教徒、そして無神論者からなる国家なのです。③私たちは地球の隅々からもたらされた言語や文化で形成されています。④そして、内戦や人種分離という苦い経験をし、その暗い時期を経てより強くなり、より団結を強めたからこそ、信じずにはいられないのです。昔の憎悪もいつの日か乗り越えられるということ、部族を隔てる境界線もすぐになくなるということ、世界が小さくなる中で共通の人間性が再び姿を現すということ、そしてアメリカが新たな平和な時代の到来を先導する役割を果たさなければならないということを。

⑤イスラム世界に対しては、相互の利益と尊重を基に、新たな前進の道を模索します。⑥紛争の火種をまこうとしたり、自国の社会問題に対する責任を欧米に押し付けたりしようとする世界の指導者には、知っておいてもらいたいと思います。あなた方の国民は、何を壊せるかということではなく、何を築けるかによって指導者を判断するだろうと。⑦腐敗や不正を働き、反対派を弾圧することで権力にしがみついている指導者には、こう伝えます。あなた方は歴史の誤った側にいるが、握ったこぶしを解くつもりがあるのなら、私たちは手を差し伸べると。

⑧貧しい国の人々には、農場を豊かにし、清潔な水が流れるようにし、やつれた体に栄養を与え、餓えた心を肥やすべく、共に努力することを誓います。

① And to those nations like ours that enjoy relative plenty, we say we can no longer afford indifference to the suffering outside our borders; nor can we consume the world's resources without regard to effect. ② For the world has changed, and we must change with it.

③ As we consider the road that unfolds before us, we remember with humble gratitude those brave Americans who, at this very hour, patrol far-off deserts and distant mountains. ④ They have something to tell us, just as the fallen heroes who lie in Arlington whisper through the ages. ⑤ We honor them not only because they are guardians of our liberty, but because they embody the spirit of service; a willingness to find meaning in something greater than themselves. ⑥ And yet, at this moment — a moment that will define a generation — it is precisely this spirit that must inhabit us all.
inhabit: ～に存在する

⑦ For as much as government can do and must do, it is ultimately the faith and determination of the American people upon which this nation relies. ⑧ It is the kindness to take in a stranger when the levees break, the selflessness of workers who would rather cut their hours than see a friend lose their job which sees us through our darkest hours. ⑨ It is the firefighter's courage to storm a stairway filled with smoke, but also a parent's willingness to nurture a child, that finally decides our fate.

⑩ Our challenges may be new. ⑪ The instruments with which we meet them may be new.

①そして、わが国同様に比較的豊かな国々に対しては、国境の外の苦しみにもはや無関心でいる余裕はなく、影響を無視して世界の資源を浪費することもできないと伝えます。②世界は変わりました。私たちもそれに合わせて変わらなければならないのです。

③こうして目の前に広がる道について考えていると、謙虚な感謝の気持ちをもって、まさにこの時間も遠く離れた砂漠やはるか彼方の山々で警備にあたる勇敢なアメリカ兵のことが思い出されます。④アーリントン国立墓地に眠る戦死した英雄たちが時代を超えてささやくように、そういったアメリカ兵にも私たちに伝えるべきことがあるのです。⑤私たちが彼らに敬意を表するのは、自由を守ってくれているからだけではなく、奉仕の精神、自分たちよりも偉大なものに意義を見出そうとする意欲を体現してくれているからです。⑥それにもかかわらず、ひとつの世代を決定づけようとするこの瞬間、私たち全員に求められるのはまさにその精神なのです。

⑦政府にできること、政府がしなければならないことは多々あるのですが、最終的にはアメリカを左右するのは、国民の信念と決意なのですから。⑧堤防が決壊したときに見知らぬ人を招き入れる親切心や、友人が職を失うのを傍観するならばむしろ自分の労働時間を削ろうという無私無欲があってこそ、困難な時代を乗り越えることができるのです。⑨煙で満たされた階段に突入する消防士の勇気、そして率先して子育てを行う親の意思こそが、最終的に私たちの運命を決定づけていくのです。

⑩私たちの試練は新しいものかもしれません。⑪その試練に立ち向かうための手段も新しいものかもしれません。

① But those values upon which our success depends — honesty and hard work, courage and fair play, tolerance and curiosity, loyalty and patriotism — these things are old. ② These things are true. ③ They have been the quiet force of progress throughout our history. ④ What is demanded then is a return to these truths. ⑤ What is required of us now is a new era of responsibility — a recognition, on the part of every American, that we have duties to ourselves, our nation, and the world, duties that we do not grudgingly accept but rather seize gladly, firm in the knowledge that there is nothing so satisfying to the spirit, so defining of our character, than giving our all to a difficult task.

⑥ This is the price and the promise of citizenship.

⑦ This is the source of our confidence — the knowledge that God calls on (～に求める) us to shape an uncertain destiny.

⑧ This is the meaning of our liberty and our creed — why men and women and children of every race and every faith can join in celebration across this magnificent Mall, and why a man whose father less than 60 years ago might not have been served at a local restaurant can now stand before you to take a most sacred oath.

⑨ So let us mark this day with remembrance, of who we are and how far we have traveled. ⑩ In the year of America's birth, in the coldest of months, a small band of patriots huddled by dying campfires on the shores of an icy river. ⑪ The capital was abandoned. ⑫ The enemy was advancing. ⑬ The snow was stained with blood.

①しかし私たちの成功を左右する勤労と誠実さ、勇気と公正、寛容と好奇心、忠誠心と愛国心といった価値観は、古くからあるものです。②本物の価値観なのです。③そういった価値観が、歴史を通じて、私たちを前進させる静かな力となってきました。④ですから、私たちにはそういった本物の価値観に立ち戻ることが求められているのです。⑤今、私たちに求められるのは、新たな責任の時代です。アメリカ人ひとりひとりが自分自身、国家、そして世界に対して義務を負っているということを認識し、その義務を嫌々ではなく喜んで受け入れ、何よりも精神を満たし国民気質を決定づけるのは難題に対して全力で取り組むことだと自覚していくべきなのです。

⑥それが市民であることの代償であり、約束です。

⑦それが私たちの自信の源です。神が私たちに未知の運命を自らの手で形作るようお求めになっているという自覚です。

⑧それが私たちの自由と信条の意義なのです。ありとあらゆる人種や宗教の男性や女性、子供たちがこの壮大なモール（就任式の会場となったナショナル·モール）で一堂に会し、共に祝福することができるのもそのためであり、60年足らずの昔は地元の食堂で食事を出してもらうことさえままならなかったかもしれないような父を持つ男が皆さんの前に立ち、非常に神聖な宣誓をすることができるのもそのためなのです。

⑨ですから、アメリカ人としてのアイデンティティや、私たちがこれまでに遂げてきた進歩を思い出して、この日を記憶に刻みましょう。⑩アメリカ建国の年、厳冬の季節に、少数の愛国者の一団が、凍てつく川岸で、今にも消えそうなたき火の傍らで身を寄せ合っていました。⑪首都は放棄されていました。⑫敵は進軍していました。⑬雪は血で赤く染まっていました。

①At a moment when the outcome of our revolution was most in doubt, the father of our nation ordered these words be read to the people:

②"Let it be told to the future world ... that in the depth of winter, when nothing but hope and virtue could survive ... that the city and the country, alarmed at one common danger, came forth to meet it."

③America, in the face of our common dangers, in this winter of our hardship, let us remember these timeless words. ④With hope and virtue, let us brave once more the icy currents, and endure what storms may come. ⑤Let it be said by our children's children that when we were tested we refused to let this journey end, that we did not turn back nor did we falter; and with eyes fixed on the horizon and God's grace upon us, we carried forth that great gift of freedom and delivered it safely to future generations.

⑥Thank you. ⑦God bless you. ⑧And God bless the United States of America.

①私たちの革命の結末が最も疑問視されていたそのときに、建国の父（初代大統領ワシントン）は､次のような言葉を人々に読み聞かせるように命じたのです。

②「未来の世界に伝えよう。希望と美徳しか生き抜けないような厳冬に、都会と田舎が共通の危機感を抱き、それに対峙すべく名乗りを上げた」

③アメリカの皆さん、共通の危機に直面し、苦難の冬を過ごす中で、この不朽の言葉を思い出しましょう。④希望と美徳を胸に、凍てつく流れに再び立ち向かい、どんな嵐がやってこようとも耐え抜いていきましょう。⑤子供たちの子供たちに語らせましょう、私たちが試練のときに、この旅を終わらせるようなことはせず、後戻りしたり、たじろいだりすることもなかったと。そして私たちが地平線を見据え、神の慈悲を身に受けて、自由という貴い贈り物を携えて前進し、将来の世代に無事届けたのだと。

⑥ありがとうございました。⑦皆さんに神の祝福がありますように。⑧そしてアメリカ合衆国に神の祝福がありますように。

バラク・オバマ大統領「就任演説」の背景

background

▶全世界が見守った「初めて」づくしの大統領誕生

日本のテレビジョンが初めて放送したアメリカ大統領の就任演説は、1953年1月20日のアイゼンハワー大統領のものである。その年の2月1日に日本のテレビ本放送が始まり、初日に放送する素材のひとつとして、フィルムカメラで撮影したアイゼンハワー大統領の就任式と演説のもようが空路で日本に運ばれてきた。12日遅れの「実況放送」であった。1963年に日本とアメリカとの間の衛星伝送システムが作られると、通信衛星を使っての同時中継が可能になり、それ以降の歴代のアメリカ大統領が行う就任演説は、時間差なしに日本の視聴者のもとに届くことになった。2009年1月20日に就任した第44代バラク・オバマ大統領の就任演説を、ワシントンからの生中継で見、そして聴いたという読者も多いことだろう。

オバマ新大統領の宣誓式と就任演説を生中継で見ていてまず気がついたのは、関係者たちが極度に緊張していたということだ。それは新しい大統領がさまざまな意味で「初めて」の大統領だったことと無関係ではなかったに違いない。父親がアメリカ人ではない「初めて」の大統領、父親と母親の肌の色が異なる「初めて」の大統領、国勢調査の申告欄に白人と書かない「初めて」の大統領、そしてフセインというイスラムのミドルネームを持つ「初めて」の大統領などなど。関係者にとってすべてが初めての体験だった。

就任演説の冒頭部分で、オバマ新大統領は「小さなミス」を犯した。「Forty-four Americans have now taken the presidential oath.」と述べ

たくだりだ。大統領としては44代ではあるが、20代と22代が同一人物（グローバー・クリーブランド）であったために、大統領になったアメリカ人として計算すると、バラク・オバマは43人目になる。スピーチライターの思い違いか、本人のうっかりミスか、とりたてて議論されることはなかったが、歴史に残るといえば歴史に残るエピソードではある。就任式では、これとは別にもうひとつのミスがあった。それは最高裁判所長官が司式をした宣誓文の読み上げの場面で、長官と新大統領の双方ともが合衆国憲法で定めた通りの文言を言い間違えたというものだ。このミスはアメリカ大統領史上3度目のことで、最高裁判所長官とオバマ大統領は、翌日になってホワイトハウスで宣誓式をやり直すことになった。

▶オバマとルーズベルト――類似点と相違点

大統領に就任したときの状況に焦点を当ててオバマ大統領を歴代の合衆国大統領と比べると、最も似ているのが1933年に就任したフランクリン・デラノ・ルーズベルト（FDR）大統領であろう。ふたりとも民主党の大統領であり、国家が深刻な経済危機に直面している時期に就任した大統領だ。しかし、このふたりは類似点よりも相違点の方がはるかに多い。FDRが大統領に就任した時点で、アメリカの経済危機はすでに開始の時点から4年が経過しており、またこの4年の間FDRはアメリカの象徴ともいえるニューヨーク州の州知事として、経済の建て直しに取り組んで、実績を上げていた。これに対してオバマ大統領は、経済の回復を旗印に大統領に立候補したのではなく、当選した時点でアメリカが経済の回復を何よりも必要とする国家になっていたというのが実態だ。

さらにFDRがアメリカ資本主義の中心であるニューヨークのウォール街のプロたちとの密接な付き合いがあったのに対して、オバマ大統領にはそのような実績がなく、大統領に当選してから、あるいは大統領に就任してから、経済政策の「学習」を始めなければならなかったという事情もある。FDRが老練なプロであったとするならば、オバマは新進気鋭のアマチュアである。ただしこの新進気鋭のアマチュアには、鋭く物事の本質を見抜く眼力があった。

▶オバマはアメリカの価値観を変えたか

20分弱の大統領就任演説の、初めから2分ほどのところで新大統領はこう言う。「Our economy is badly weakened, a consequence of greed and irresponsibility on the part of some」。greedは普通「貪欲（どんよく）」と訳される。アメリカの経済を破壊したのは「貪欲で無責任な一部の連中だ」というのが就任演説で新しい大統領が示した基本的な認識だった。確かにその通りだろう。しかしアメリカの繁栄を築いたのは、富と栄光を追い求めてこの国にやってきて成功した人たちだったという歴史的な現実がある。バラク・オバマという人物も、決してその例外ではありえない。「一攫千金」「濡れ手で粟」がアメリカン・ドリームの一部だと考え、生きてきたアメリカ人たちの耳には、「価値観を変えよ」と迫る伝道者のことばとも聞こえなくはない、この新大統領のメッセージがどのように響いただろうか。

07 ミハイル・ゴルバチョフ大統領 Mikhail Gorbachev

辞任演説（1991年12月25日）

1931年3月2日ソ連生まれ。モスクワ大学法学部卒。1985年、54歳でソ連共産党書記長に就任し、ペレストロイカ（建て直し）やグラスノスチ（情報公開）を推進。1989年、冷戦を終結させ、翌年、ノーベル平和賞を受賞し、最初で最後のソ連大統領に就任。1991年、ソ連崩壊にともない辞任。辞任後は自身の財団や環境保護の活動に尽力。

世界に与えたインパクト

アメリカとソビエト（ロシア）をそれぞれの盟主とする東西の対立と冷戦は、実態では国家経済の運営をめぐる方法論の対立だった。第２次世界大戦直後は同じような壊滅状態にあった東と西のベルリンが、社会主義の計画経済と資本主義の自由経済という異なる手法で経営された結果、どのような差異が生じたのか。それを現実のこととして知ったミハイル・ゴルバチョフは、自らが先陣を切って社会主義の放棄という非常手段に打って出る。

①Dear compatriots, fellow citizens.

②As a result of the newly formed situation, creation of the Commonwealth of Independent States, I cease my activities in the post of the president of the Union of Soviet Socialist Republics. ③I am taking this decision out of considerations based on principle. ④ I have firmly stood for independence, self-rule of nations, for the sovereignty of the republics, but at the same time for preservation of the union state, the unity of the country.

～によって

⑤Events went a different way. ⑥The policy prevailed of dismembering this country and disuniting the state, with which I cannot agree. ⑦ And after the Alma-Ata meeting and the decisions taken there, my position on this matter has not changed. ⑧Besides, I am convinced that decisions of such scale should have been taken on the basis of a popular expression of will.

⑨Yet, I will continue to do everything in my power so that agreements signed there should lead to real accord in the society and facilitate the escape from the crisis and the reform process. ⑩Addressing you for the last time in the capacity of president of the U.S.S.R., I consider it necessary to express my evaluation of the road we have traveled since 1985, especially as there are a lot of contradictory, superficial and subjective judgments on that matter.

最善の努力を払う

～の資格で

⑪Fate had it that when I found myself at the head of the state it was already clear that all was not well in the country.

①同胞、国民の皆さん。

②独立国家共同体創設という新たな事態の進展を迎えた結果、私はソビエト社会主義共和国連邦大統領の職を辞します。③この決断は、信条に基づく考慮から行うものです。④私は構成国の自決・自治、各共和国の主権を強固に支持してきましたが、また同時にソ連邦の維持と統一も支持してきました。

⑤事態はそれとは違う進展を見せました。⑥ソ連邦を分割・分離する方針が勝利したのですが、私には是認できません。⑦アルマアタ（カザフスタンの旧首都アルマトイの旧称）で会合が行われ、決断が下された後でも、この件に対する私の立場は変わっていません。⑧さらに、このような規模の決断は、国民の意思表示を基本として下されるべきだったと確信しています。

⑨それでも私は、そこで署名した合意が真の社会調和を導き、この危機からの脱出と改革の過程を促進するように、できる限りのことを絶えず行っていきます。⑩ソ連邦大統領としての立場では、これが最後の演説となるわけですが、1985年から私たちが歩んできた道程に対して自己評価を下しておく必要があると考えています。特に、この件に関しては、矛盾していたり、表面的だったり、主観的だったりする見方が多数存在しているからです。

⑪運命の定めだったのか、私が国家元首の地位に就いたとき、国家の万事がうまくいっているわけではないことはすでに明らかでした。

① There is plenty of everything — land, oil and gas, other natural riches — and God gave us lots of intelligence and talent. ② Yet we lived much worse than developed countries and kept falling behind (後れを取る) them more and more.

③ The reason could already be seen. ④ The society was suffocating in the vise of the command-bureaucratic system, doomed to (～する悪い運命にあって) serve ideology and bear the terrible burden of the arms race. ⑤ It had reached the limit of its possibilities. ⑥ All attempts at partial reform — and there had been many — had suffered defeat, one after another. ⑦ The country was losing perspective. ⑧ We could not go on living like that. ⑨ Everything had to be changed radically.

⑩ That is why not once — not once — have I regretted that I did not take advantage of (～を巧みに利用する) the post of General Secretary to rule as czar for several years. ⑪ I considered it irresponsible and immoral. ⑫ I realized that to start reforms of such a scale in a society such as ours was a most difficult and even a risky thing. ⑬ But even now, I am convinced that the democratic reform that we launched in the spring of 1985 was historically correct.

⑭ The process of renovating the country and bringing about radical changes in the world turned out to be far more complicated than could be expected. ⑮ However, what has been done ought to be given its due (正当に評価する). ⑯ This society acquired freedom and liberated itself politically and spiritually.

①ソ連には、土壌、石油、ガスをはじめとする天然資源など、ありとあらゆるものがそろっていますし、神は私たちに多くの知性と才能を授けてくださいました。②それにもかかわらず、私たちの生活水準は先進国と比べてはるかに低く、悪化の一途をたどっていたのです。

③理由はすでに見えていました。④指令・官僚制度という悪習により社会が窒息状態に陥っており、イデオロギーのために尽くし、軍拡競争というひどい負担を負わされる運命にありました。⑤可能性の限界に達していたのです。⑥部分的な改革の試みは多々ありましたが、次々に失敗に終わっていきました。⑦国家が方向性を失っていたのです。⑧そのような状態の生活を続けていくことはできませんでした。⑨あらゆる面で抜本的な改革を行う必要があったのです。

⑩だからこそ私は、自分が書記長という立場を利用して何年か独裁者として統治しなかったことを、一度たりとも後悔したことはありません。⑪それは無責任で道義に反することだと思ったのです。⑫わが国のような社会であれほどの規模の改革に着手するのは極めて困難であり、危険なことでさえあるとは認識していました。⑬しかし私は今でも、1985 年に開始した民主的な改革は歴史的に正しいことだったと確信しています。

⑭わが国を改革し、世界に抜本的な変化をもたらす過程は、予想をはるかに上回る複雑なものとなりました。⑮しかし、これまでの業績は正当に評価されてしかるべきものです。⑯わが国の社会は自由を獲得し、政治的にも精神的にも解放されました。

① And this is the foremost achievement which we have not yet understood completely, because we have not learned to use freedom.

② However, work of historic significance has been accomplished. ③ The totalitarian system which deprived the country of an opportunity to become successful and prosperous long ago has been eliminated. ④ A breakthrough has been achieved on the way to democratic changes. ⑤ Free elections, freedom of the press, religious freedoms, representative organs of power, and a multiparty system became a reality. ⑥ Human rights are recognized as the supreme principle.

⑦ The movement to a diverse economy has started; equality of all forms of property is becoming established; people who work on the land are coming to life again (生き返る) in the framework of land reform; farmers have appeared; millions of acres of land are being given over (明け渡す) to people who live in the countryside and in towns.

⑧ Economic freedom of the producer has been legalized, and entrepreneurship, shareholding and privatization are gaining momentum. ⑨ In turning the economy toward a market, it is important to remember that all this is done for the sake of (～の利益のために) the individual. ⑩ At this difficult time, all should be done for his social protection, especially for senior citizens and children.

⑪ We live in a new world. ⑫ The Cold War has ended, and the arms race has stopped, as has the insane militarization which mutilated our economy, public psyche and morals.

①これこそが最大の業績なのですが、私たちはまだ自由の使い道を知らないため、その真価を完全には理解できていません。

②しかし、歴史的意義のある作業が完了しました。③この国が成功し繁栄する機会をずっと以前から奪ってしまっていた全体主義的体制が撤廃されたのです。④民主主義的変革への道が大いに切り拓かれました。⑤自由選挙、報道の自由、信教の自由、代議制、複数政党制が現実のものとなったのです。⑥人権が最大の理念として認められたのです。

⑦経済を多様化させる運動が始まっています。あらゆる種類の所有権の平等が確立しつつあります。農地改革の枠組みの中で、土に触れて作業をする人々が活気を取り戻しています。農家が出現しています。何百万エーカーもの土地が、地方や町に暮らす人々に分配されつつあります。

⑧生産者の経済の自由が合法化され、起業、株式保有、民営化が勢いを増しています。⑨市場経済を目指す中で忘れてはならないのは、それがすべて個人の利益となるように行われるということです。⑩この困難な時においては、個人、特に高齢者と子供が、社会に保護されるように万事行っていくべきなのです。

⑪私たちは新たな世界に生きています。⑫冷戦は終結し、軍拡競争は終わり、経済や国民の精神・モラルを切り裂いてきた異常な軍事化も終えんを迎えました。

① The threat of a world war has been removed. ② Once again I want to stress that on my part everything was done during the transition period to preserve reliable control of the nuclear weapons.

自分の側では

③ We opened ourselves to the world, gave up interference into other people's affairs and the use of troops beyond the borders of the country, and trust, solidarity and respect came in response. ④ We have become one of the main foundations for the transformation of modern civilization on peaceful democratic grounds.

それに応じて

⑤ The nations and peoples of this country gained real freedom to choose the way of their self-determination. ⑥ The search for a democratic reformation of the multinational state brought us to the threshold of concluding a new Union Treaty.

出発点

⑦ All these changes demanded immense strain. ⑧ They were carried out with sharp struggle, with growing resistance from the old, the obsolete forces: the former party-state structures, the economic elite, as well as our habits, ideological superstitions, the psychology of sponging and leveling everyone out.

⑨ They stumbled on our intolerance, low level of political culture, fear of change. ⑩ That is why we lost so much time. ⑪ The old system collapsed before the new one had time to begin working, and the crisis in the society became even more acute.

①世界戦争という脅威が取り除かれたのです。②再度強調したいのですが、この移行期間中、今後も信頼できる形で核兵器を管理していけるようにするため、私はありとあらゆる手を尽くしました。

③私たちは世界に門戸を開放し、他国民の問題に干渉したり国境を越えたところで軍事力を使用したりするのをやめた結果、信頼・友情・尊敬の念を得るようになったのです。④私たちは、平和と民主主義に基づいた現代文明の改革という分野において、主要な拠点のひとつになったのです。

⑤ソ連邦を構成する各国と各民族は、自決の方法を選択する真の自由を得ました。⑥多民族国家の民主主義的改革を模索する中で、私たちは新たな連邦条約締結寸前のところまで行きました。

⑦こういった改革を断行するには、途方もない負担が要求されました。⑧かつての一党独裁体制、経済的富裕層、そして慣習やイデオロギー的な迷信、人にたかったり人を蹴倒そうとしたりする心理など、古くて時代錯誤な力の抵抗が強まり、改革は厳しい奮闘の中で実行に移されていきました。

⑨私たちの非寛容さ、政治風土の程度の低さ、変化への恐怖で、改革がつまずいたのです。⑩それにより多くの時間を無駄にしました。⑪旧体制は新体制が機能し始める間もなく崩壊し、社会危機は一層深刻化してしまったのです。

①I am aware of the dissatisfaction with the present hard situation, of the sharp criticism of authorities at all levels including my personal activities. ②But once again I'd like to stress: Radical changes in such a vast country, and a country with such a heritage, cannot pass painlessly without difficulties and shake-up.

③The August coup brought the general crisis to its ultimate limit. ④The most damaging thing about this crisis is the breakup of the statehood (国家である状態). ⑤And today I am worried by our people's loss of the citizenship of a great country. ⑥The consequences may turn out to be very hard for everyone.

⑦I think it is vitally important to preserve the democratic achievements of the last years. ⑧They have been paid for (代価を払う) by the suffering of our whole history, our tragic experience. ⑨They must not be given up under any circumstances or any pretext. ⑩Otherwise all our hopes for the better will be buried. ⑪I am telling you all this honestly and straightforwardly because this is my moral duty.

⑫Today I'd like to express my gratitude to all citizens who supported the policy of renovating the country and got involved in (～に関与する) the implementation of the democratic reforms. ⑬I am grateful to statesmen, public and political figures, as well as millions of people abroad who understood our intentions, gave their support and met us halfway (譲歩する). ⑭I thank them for their sincere cooperation with us.

①現在の厳しい状況への不満が存在することや、私個人の活動を含め、あらゆる層の当局者に鋭い批判が向けられていることは認識しています。②しかし、改めて強調したいと思います。これほど広大で、これほどの遺産を持つ国の抜本的な改革は、困難や刷新なくして簡単に実現できないのです。

③８月にクーデターが起こったことで、全般的な危機が究極的な限界に達しました。④中でも致命的だったのが、国家の崩壊です。⑤そして現在、私は、国民が偉大な祖国の市民権を喪失してしまったことを憂慮しています。⑥その結果は、全国民にとって非常に厳しいものとなるかもしれません。

⑦極めて重要なのは、過去何年間かの間に成し遂げられた民主的な成果を守ることだと思います。⑧そういった成果は、わが国が歴史を通して味わってきた苦悩や国民の悲劇的な体験と引き換えに得たものです。⑨いかなる状況でも、そしていかなる名目の下でも、手放してはなりません。⑩さもなければ、より良い未来への希望はすべて葬り去られてしまうでしょう。⑪私がこのことを皆さんに正直かつ率直にお話ししているのは、それが私の道義的な務めだからです。

⑫今日は、この国を革新するための政策を支持し、民主改革の遂行に力を貸してくださったすべての国民に感謝の意を表したいと思います。⑬政治家の皆さん、公人や政界の諸氏、そして私たちの意図を理解し、支持し、歩み寄ってくださった何百万人もの外国の方々にも感謝しています。⑭誠意を込めて協力していただいたことに感謝しています。

①I am leaving my post with apprehension, but also with hope, with faith in you, your wisdom and force of spirit. ②We are the heirs of a great civilization, and its rebirth into a new, modern and dignified life now depends on one and all.
すべての人

③Some mistakes could surely have been avoided, and many things could have been done better, but I am convinced that sooner or later our common efforts will bear fruit, our nations will live in a prosperous and democratic society.
遅かれ早かれ　実を結ぶ

④I wish all the best to all of you.

①私は不安を覚えながら辞職するわけですが、希望、そして皆さん、皆さんの知恵と精神力への信頼も持っています。②私たちは偉大なる文明の後継者であり、それが新たに現代的で尊厳のある姿に生まれ変わることができるかどうかは、ひとりひとり、全員の力にかかっているのです。

③確実に避けることができた過ちもあれば、もっと良い形で実行できたことも多いのですが、いつかは私たち全体の努力が結実し、旧ソ連邦の各国家が繁栄し、民主主義的な社会に生きることになると確信しています。

④皆さんの幸福をお祈りしています。

ミハイル・ゴルバチョフ大統領「辞任演説」の背景

background

▶出世の階段を駆けのぼった若きホープ

ミハイル・セルゲーヴィッチ・ゴルバチョフは少年時代に父親を失った。第2次世界大戦で召集された父親が、戦死したからだ。実家は農家で、集団農場に所属していた。夏の間はコンバインの運転をして家族を助けた。スターリンによる圧政の時代で、祖父は収穫した穀物を隠匿したとして9年もの間、収容所に送られていた。学業成績がずば抜けたものでなかったら、平凡な農夫としての人生を送っていただろう。

中等学校での成績が良かったために、少年は国立のモスクワ大学への入学が認められた。モスクワ大学では法律を専攻して、弁護士の資格も手に入れた。立身出世の糸口をつかんだのだ。大学在学中から共産党の活動に意欲的だったことが認められて、地方の党組織への就職が決まった。ミハイル・セルゲーヴィッチが出世の階段を猛スピードでのぼり始めるのは、このときからだ。40歳になったときには、ソビエト共産党中央委員会委員になっており、49歳のときには党中央委員会政治局員に抜てきされた。最年少の政治局員だった。

18年間トップにあったブレジネフ書記長が75歳で死亡し、後を継いだアンドロポフ書記長がわずか8カ月で死亡、その後任のチェルネンコ書記長がこれまた13カ月で死亡という老人支配の弊害に直面したソビエト共産党の指導部は、新しい書記長に54歳のミハイル・セルゲーヴィッチ・ゴルバチョフ政治局員を選んだ。アメリカとの和解、ヨーロッパとの対話、冷戦の終結、そしてソビエト連邦の解体へと続くゴルバチョフの時代がこうして始まった。

▶改革か崩壊か——ゴルバチョフ書記長の狙いと試練

ゴルバチョフ書記長の政治家としての国際性を作ったのは、政治局員時代の外国訪問と、その外国訪問で作り上げた人的なネットワークだった。中でも有名なのは、1984年のイギリス訪問である。サッチャー首相はゴルバチョフ政治局員との会談の後、周囲に対して「あの人物とは仕事ができる」という感想を漏らしたのだった。当然のことながら、その感想はサッチャー首相の盟友であったアメリカのレーガン大統領にも伝えられた。

核軍縮問題をめぐって休眠状態にあった米ソ交渉の糸口を作ったのは、ゴルバチョフ書記長だった。「ミスター・ニエット」（「ニエット」とはロシア語で「ノー」の意味）とあだ名されたこわもてのグロムイコ外相を、柔和なシェワルナーゼ外相に替えて臨んだレーガン大統領との2回にわたる首脳会談と、後継のブッシュ大統領との首脳会談で、ゴルバチョフ書記長はアメリカをはじめとする西側との和解に向けた意志が本物であることを強調した。ソビエトの経済はそれだけ行き詰まっており、軍事費の削減なしには国家の運営はもはや不可能に近いということに、ゴルバチョフ書記長は気がついていたのだ。このままではソビエト連邦は内部から崩壊してしまう。問題はいかに軟着陸させるかということだった。

1987年以降にゴルバチョフ書記長や、その側近が相次いで打ち出したスローガンやキーワードは、多分にソビエト国内での効果を期待したものだった。グラスノスチ（情報公開）、ペレストロイカ（建て直し）、デモクラティザチア（デモクラシー）、ウスコレニエ（促進）、こうした言葉でゴルバチョフはソビエトの国民の意識を変えようとした。しかしそれより先に国際政治の大きなうねりが足元まで打ち寄せていた。

▶ソビエトに捧げた惜別の演説

1989年11月9日、ベルリンを東西に隔てていた「壁」に穴が開けられ、東ヨーロッパ社会主義諸国の体制の崩壊が始まった。ソビエトはもうそれを押しとどめる力も持たなければ、その意志も持たなかった。翌1990年にソビエトは大統領制を採用し、ゴルバチョフはその初代の大統領に就任した。そしてソビエトの最後の大統領になった。というのは、ソビエト社会主義共和国連邦が翌年に解体されたからだ。

1991年12月25日にゴルバチョフが行った演説は、惜別の演説である。彼が大統領の地位にあったソビエト社会主義共和国連邦はすでに実体のないものになっており、彼の出身であるロシア共和国では、ライバルで4カ月前にクーデターの危機から救ってくれたエリツィンという大統領が就任していた。この日を限りにゴルバチョフは公職を離れる。猛烈なスピードで出世の階段を駆けのぼった男は、猛烈なスピードで出世の階段を駆けおりた。ひとりのロシア市民に戻ったとき、彼はまだ60歳だった。

ゴルバチョフは1991年のノーベル平和賞を受賞した。各地から招かれて講演を行ったが、1992年にはアメリカ・ミズーリ州フルトンのウェストミンスター・カレッジを訪れ、冷戦の終わりをテーマに講演した。イギリスの元首相のウィンストン・チャーチルが46年前に冷戦の始まりをテーマにして講演したのは、この大学である。

08 マザー・テレサ Mother Teresa

ノーベル平和賞受賞記念講演（一部略）（1979年12月11日）

AFP／アフロ

1910年8月26日オスマン帝国領ユスキュプ（現北マケドニア）生まれ。本名アグネス・ゴンジャ・ボヤジュ。幼少よりインドで修道女として働きたいと願い、18歳でロレト修道会に入りカルカッタ（現コルカタ）へ。1944年同地聖マリア学院校長に就任。以後宗派を問わず貧しい人々のため働いた功績により、1979年ノーベル平和賞受賞、1996年にアメリカ名誉市民に選ばれた。

世界に与えたインパクト

「喜ぶ者と共に喜び、泣く者と共に泣け」というのはキリストの教えのひとつである。この教えに忠実に人生を送ったのがシスター・テレサことアグネス・ゴンジャ・ボヤジュであった。そうした彼女の功績をたたえて贈られたのが、1979年のノーベル平和賞である。頑（かたく）ななまでに生真面目な彼女は、授賞式でのスピーチを母語のアルバニア語でも、母国語のヒンディー語でもなく、英語で行った。

①As we have gathered here together to thank God for the Nobel Peace Prize I think it will be beautiful that we pray the prayer of St. Francis of Assisi which always surprises me very much. ②We pray this prayer every day after Holy Communion, because it is very fitting (適切な) for each one of us, and I always wonder that 4-500 years ago as St. Francis of Assisi composed this prayer that they had the same difficulties that we have today, as we compose this prayer that fits very nicely for us also. ③I think some of you already have got it — so we will pray together.

④*Lord, make me a channel of Thy peace;*
that where there is hatred, I may bring love;
that where there is wrong, I may bring the spirit of forgiveness;
that where there is discord, I may bring harmony;
that where there is error, I may bring truth;
that where there is doubt, I may bring faith;
that where there is despair, I may bring hope;
that where there are shadows, I may bring light;
that where there is sadness, I may bring joy.
⑤*Lord, grant that I may seek rather to comfort than to be comforted;*
to understand than to be understood;
to love than to be loved.

①私たちがここに一堂に会し、ノーベル平和賞に対して神に感謝する中で、私を驚かせてやまないアッシジの聖フランシスコ（イタリアの守護聖人のひとり）の祈りを捧げるのは素晴らしいことだと思います。②私たちが聖餐（せいさん）（イエスの血と肉を象徴するパンとワインを信徒に分かつ儀式）の後に毎日この祈りを捧げるのは、この祈りが私たちひとりひとりにとても合っているからなのですが、私がいつも驚くのは、アッシジの聖フランシスコがこの祈りを作った400 ~ 500年前、当時の人たちも私たちが現在抱えているのと同じような問題を抱えていたということです。だからこそ私たちは自分たちにもふさわしいこの祈りを捧げるのです。③皆さんの中には、すでにお持ちの方もいらっしゃるでしょう。では、一緒に祈りましょう。

④主よ、私をあなたの平和の道具としてお使いください、
憎しみのあるところに愛を、
悪事のあるところにゆるしの精神を、
不和のあるところに調和を、
疑惑のあるところに信仰を、
誤りのあるところに真理を、
絶望のあるところに希望を、
闇に光を、
悲しみのあるところに喜びをもたらすものとしてください。
⑤主よ、慰められるよりは慰めることを、
理解されるよりは理解することを、
愛されるよりは愛することを、私が求めますように。

①*For it is by forgetting self that one finds;*
it is by forgiving that one is forgiven;
it is by dying that one awakens to eternal life.
Amen.

（中略）

②The poor are very wonderful people. ③One evening we went out and we picked up four people from the street. ④And one of them was in a most terrible condition — and I told the Sisters, "You take care of the other three, I take of this one that looked worse." ⑤So I did for her all that my love can do. ⑥I put her in bed, and there was such a beautiful smile on her face. ⑦She took hold of my hand, as she said one word only: "Thank you." ⑧And she died.

⑨I could not help but（～せずにはいられない） examine my conscience before her, and I asked, "What would I say if I was in her place?" ⑩And my answer was very simple. ⑪I would have tried to draw a little attention to myself, I would have said I am hungry, that I am dying, I am cold, I am in pain, or something. ⑫But she gave me much more — she gave me her grateful love. ⑬And she died with a smile on her face. ⑭As that man whom we picked up from the drain, half eaten with worms, and we brought him to the home. "I have lived like an animal in the street, but I am going to die like an angel, loved and cared for."

①私たちは忘れることによって見出し、
ゆるすことによってゆるされ、
死ぬことによって永遠の命に目覚めるのですから。
アーメン。

（中略）

②恵まれない人々は、本当に素晴らしい人たちなのです。③ある日の夜、私たちは外に出て、４人の路上生活者を引き取りました。④その中のひとりが非常にひどい状態だったため、私はシスターたちにこう言いました。「みんなでほかの３人の面倒を見てください、私はより状態が悪そうなこの人の世話をしますので」と。⑤そして私は自分の愛の限界までその女性に尽くしました。⑥ベッドに寝かせると、彼女の顔に美しいほほえみが浮かんだのです。⑦彼女は私の手を取って、一言だけ、こう言いました。「ありがとう」と。⑧そして息を引き取ったのです。

⑨私はその女性の前で自分の良心に問いかけずにはいられず、「もし自分が彼女の立場だったら、何と言うだろうか？」と考えました。⑩すると、答えはとても単純なものでした。⑪私であれば自分に少し注目してもらおうと、おなかがすいたとか、死にそうだとか、寒いとか、痛いとか、そんなことを言ったことでしょう。⑫しかしその女性は、それ以上のことを私にしてくれました。私に感謝を込めた愛を与えてくれたのです。⑬笑顔を浮かべて亡くなったのです。⑭私たちがどぶから引き上げた、体が半分うじ虫に食われてしまっていた男性もそうでした。私たちがその男性を連れ帰ったところ、「私は動物のように路上で生きてきたが、愛され世話されながら天使のように死んでいける」と話してくれたのです。

①And it was so wonderful to see the greatness of that man who could speak like that, who could die like that without blaming anybody, without cursing anybody, without comparing anything. ② Like an angel — this is the greatness of our people. ③ And that is why we believe what Jesus had said: "I was hungry, I was naked, I was homeless, I was unwanted, unloved, uncared for — and you did it to me."

（中略）

④ And so here I am talking with you. ⑤ I want you to find the poor here, right in your own home first. ⑥ And begin love there. ⑦ Be that good news to your own people. ⑧ And find out about your next-door neighbor — do you know who they are? ⑨ I had the most extraordinary experience with a Hindu family who had eight children. ⑩ A gentleman came to our house and said, "Mother Teresa, there is a family with eight children. They had not eaten for so long. Do something." ⑪ So I took some rice and I went there immediately. ⑫ And I saw the children — their eyes shining with hunger — I don't know if you have ever seen hunger. ⑬ But I have seen it very often. ⑭ And she took the rice, she divided the rice, and she went out. ⑮ When she came back I asked her, "Where did you go? What did you do?" ⑯ And she gave me a very simple answer: "They are hungry also." ⑰ What struck me most was that she knew — and who are they? A Muslim family — and she knew.

①そんなことを言えるその男性の偉大さ、誰も責めることなく、呪うこともなく、人と比べることもなく死んでいくことのできる彼の偉大さを目の当たりにできたのは、本当に素晴らしいことでした。②天使のようでした。これが私たちの支援している人たちの偉大さなのです。③だからこそ私たちはイエスの言葉を信じているのです。「私は空腹で、裸で、家がなく、必要とされず、愛されず、世話してくれる人もいなかったが、あなたが手を差し伸べ愛を注いでくれた」という言葉を。

（中略）

④こうして、私はここで皆さんとお話ししているわけです。⑤皆さんにはここで、まずは自分の家庭で、恵まれない人を見つけてほしいと思います。⑥そしてそこから愛を始めるのです。⑦自国民にとっての福音となってください。⑧そして隣人のことをよく知ってください。近所に住んでいる人がどんな人なのか、知っていますか？　⑨私は、８人の子供のいるヒンズー教徒の家族と驚くべき経験をしたことがあります。⑩とある男性が私たちのホームにやってきて、こう言ったのです。「マザー・テレサ、８人の子供を抱えた家族がいます。彼らは長い間、食事を口にしていません。何とかしてあげてください」と。⑪私は米を持って、すぐにその家族のもとに駆けつけました。⑫そして８人の子供たちの姿を目にしたのですが、彼らの目は飢えでギラギラと光っていました。皆さんが飢餓を目の当たりにしたことがあるかどうかは分かりません。⑬でも私はそういった光景を何度も見ているのです。⑭そして、母親は私から米を受け取ると、それを分けて外に出て行きました。⑮戻ってきた母親に、私は「どこに行ってきたの？　何をしてきたの？」と尋ねました。⑯すると、いたって単純な答えが返ってきたのです。「隣人もおなかをすかせていますので」という答えが。⑰私が何より驚いたのは、彼女はその隣人というのがイスラム教徒だということを知っていて、それを承知の上での行動だったということです。

①I didn't bring more rice that evening because I wanted them to enjoy the joy of sharing. ②But there were those children, radiating joy, sharing the joy with their mother because she had the love to give. ③And you see this is where love begins — at home.

（中略）

④I found the poverty of the West so much more difficult to remove. ⑤When I pick up a person from the street, hungry, I give him a plate of rice, a piece of bread, I have satisfied. ⑥I have removed that hunger. ⑦But a person that is shut out, that feels unwanted, unloved, terrified, the person that has been thrown out from society — that poverty is so hurtable and so much, and I find that very difficult. ⑧Our Sisters are working amongst that kind of people in the West. ⑨So you must pray for us that we may be able to be that good news, but we cannot do that without you. ⑩You have to do that here in your country. ⑪You must come to know the poor. ⑫Maybe our people here have material things, everything, but I think that if we all look into our own homes, how difficult we find it sometimes to smile at each other, and that the smile is the beginning of love.

⑬And so let us always meet each other with a smile, for the smile is the beginning of love, and once we begin to love each other naturally we want to do something. ⑭So you pray for our Sisters and for me and for our Brothers, and for our Co-Workers that are around the world.

①その晩は、分かち合う喜びを感じてほしいという思いがありましたので、追加で米を持っていくことはしませんでした。②でも、その子供たちは、母親には分け与える愛情があるのだという喜びでいっぱいで、その思いを母親と共有していたのです。③このようにして、愛は家庭から始まるものです。

（中略）

④私はむしろ西洋各国の貧困の方がずっと撲滅しにくいことに気づきました。⑤通りで飢えに苦しむ人を引き取ったときは、ご飯やパンを与えれば満足させることはできます。⑥飢えは取り除けるのです。⑦しかし、拒絶され、必要とされず、愛されず、恐怖に怯え、社会から投げ出されてしまった人の心の貧困は、本当に心が痛む、非常に深刻な問題で、とても難しいと感じます。⑧シスターたちは、西洋でそういった人たちの間に入って努力しています。⑨ですから皆さんには、私たちがそういう人にとっての福音となれるように祈っていただきたいのですが、そのためには皆さんの力が必要です。⑩まずはここで、自国でそうしていただきたいのです。⑪恵まれない人たちのことを知っていただく必要があります。⑫私たちにはありとあらゆる物質的な資源はそろっているかもしれませんが、自分の家庭を振り返ってみると、家族とほほえみ合うのがどれほど難しいことなのか痛感することも多いでしょう。愛はそういった笑顔からこそ芽生えていくのです。

⑬ですからお互い顔を合わせたら常に笑顔を交わしましょう。笑顔から愛は芽生え、互いを愛するようになれば、自然と何かしたくなるのですから。⑭だからシスターたちのために、私のために、修道士のために、世界中にいる同志のために、祈っていただきたいのです。

① That we may remain faithful to the gift of God, to love Him and serve Him in the poor together with you. ② What we have done we should not have been able to do if you did not share with your prayers, with your gifts, this continual giving. ③ But I don't want you to give me from your abundance, I want that you give me until it hurts.

④ The other day I received 15 dollars from a man who has been on his back for 20 years, and the only part that he can move is his right hand. ⑤ And the only companion that he enjoys is smoking. ⑥ And he said to me, "I do not smoke for one week, and I send you this money." ⑦ It must have been a terrible sacrifice for him, but see how beautiful, how he shared. ⑧ And with that money I bought bread and I gave to those who are hungry with a joy on both sides — he was giving and the poor were receiving.

（中略）

⑨ I never forget some time ago about 14 professors came from the United States from different universities. ⑩ And they came to Calcutta to our house. ⑪ Then we were talking about that they had been to the home for the dying. ⑫ We have a home for the dying in Calcutta, where we have picked up more than 36,000 people only from the streets of Calcutta, and out of that big number more than 18,000 have died a beautiful death. ⑬ They have just gone home to God.

①私たちが天の賜物に忠実であり続け、神を愛し、共に恵まれない人々に救いの手を差し伸べることで神に仕えていけるようにと。②皆さんが祈りを込めて、絶え間なく分け与えてくださらなければ、私たちは活動することなどできなかったでしょう。③ただし、豊富にある中から分け与えるのではなく、自己犠牲の精神から分け与えていただきたいと思っています。

④先日ある男性から15ドルを受け取ったのですが、その人は20年間寝たきりで、右手しか動かすことができません。⑤そして彼の唯一の仲間はタバコでした。⑥すると、その男性が私にこう言ったのです。「1週間タバコを我慢してきた分のお金をあなたに寄付します」と。⑦彼にとっては途方もない犠牲だったに違いありませんが、その分かち合いの何と美しいことでしょう。⑧私はそのお金でパンを購入し、飢えに苦しむ人に分け与えたのですが、そうすることで分け与えた側の男性、受け取った側の恵まれない人、その両方に喜びがもたらされました。

（中略）

⑨いつだったか、アメリカのさまざまな大学から14人ほどの教授がやってきたときのことを忘れることはありません。⑩彼らはカルカッタの私たちのもとを訪れました。⑪死が迫っている人のためのホームも訪れたとのことでした。⑫私たちはカルカッタでそういうホームをやっていて、そこではカルカッタの路上だけでもこれまでに36,000人以上の人々を迎え入れ、その大勢の中で18,000人以上の人が安らかな眠りについています。⑬神の待つ天に召されたのです。

① And they came to our house and we talked of love, of compassion, and then one of them asked me, "Say, Mother, please tell us something that we will remember." ② And I said to them, "Smile at each other, make time for each other in your family. Smile at each other." ③ And then another one asked me, "Are you married?" ④ And I said, "Yes, and I find it sometimes very difficult to smile at Jesus because he can be very demanding sometimes." ⑤ This is really something true, and there is where love comes — when it is demanding, and yet we can give it to Him with joy.

⑥ Just as I have said today, I have said that if I don't go to Heaven for anything else I will be going to Heaven for all the publicity because it has purified me and sacrificed me and made me really ready to go to Heaven. ⑦ I think that this is something, that we must live life beautifully, we have Jesus with us and He loves us. ⑧ If we could only remember that God loves me, and I have an opportunity to love others as he loves me, not in big things, but in small things with great love, then Norway becomes a nest of love. ⑨ And how beautiful it will be that from here a center for peace has been given; that from here the joy of life of the unborn child comes out. ⑩ If you become a burning light in the world of peace, then really the Nobel Peace Prize is a gift of the Norwegian people. ⑪ God bless you!

①そういうわけで、私たちのところにやってきた教授たちと愛や慈悲についてお話ししたのですが、その教授のひとりに「そうそう、マザー、何か記憶に残ることをお話ししてくれませんか」と言われました。②そこで私は「笑顔を交わし、家族が互いに触れ合う時間を作ってください。笑顔を交わすのです」と答えました。③するとさらに別の教授が「あなたは結婚されていますか？」と尋ねてきました。④そこで私は「ええ、でもイエスはなかなか注文が多いことがあるので、イエスに向かってほほえむのはとても難しいなと感じることがありますよ」と返しました。⑤これは真実で、そういうときこそ愛が重要になるのです。厳しいときでも喜びをもってイエスに愛を捧げることができるのです。

⑥今日お話ししたように、たとえほかに何も理由がないとしても、私は注目を浴びるようになったおかげで天国に行くことになると思うのですが、それはそのおかげで清められ、犠牲を払い、本当に天国に行く準備が整ったからです。⑦美しい人生を送るのは大事なことで、私たちはイエスと共にあり、イエスの愛を受けているのです。⑧自分は神の愛を受けていて、神が自分を愛してくれるのと同じように、大きなことでなく小さなことに大きな愛を注いでいくという形で人を愛する機会があるということさえ忘れずにいれば、ノルウェーは愛が宿る地となるでしょう。⑨ここが平和の中心地となり、ここからまだ生まれぬ子供の生きる喜びが生まれたら、どんなに素晴らしいことでしょう。⑩もし皆さんが世界平和の灯火となれば、ノーベル平和賞がノルウェー国民の真の贈物となるのです。⑪神の祝福がありますように！

マザー・テレサ「ノーベル平和賞受賞記念講演」の背景

background

▶19歳からインドに捧げた人生

マザー・テレサは、聖書が教えるキリストの愛を実践した女性である。彼女は1910年に、バルカン半島のオスマン帝国領コソボ州で、恵まれたアルバニア人の家庭の末っ子として生を受けた。上には兄がひとりと姉がひとりいた。家族の宗教はローマカトリックで、イスラム教徒が多いアルバニア人の中では、珍しい存在だった。生まれたときの名前は、アグネス・ゴンジャ・ボヤジュ。テレサというのは修道女になってからつけた名前である。ちなみに「マザー」は、敬愛の念を込めて人々が後でつけた尊称だ。

18歳になった年、アグネスは母親と教会の許可を得てアイルランドのロレト修道女会に入る。父親はすでに他界していた。アグネスがアイルランドの修道会を選んだのは、英語を覚えたかったためで、その頃からインドでの伝道と修道会活動を希望していたという。修道会は翌1929年に彼女を早速インドに送り出した。まだ19歳の少女だった。それから1997年に87歳で亡くなるまで、彼女は人生のほとんどをインドで生きることになる。

インドに着いたアグネスは、はじめ修道女になるための準備の期間をダージリンで過ごし、しばらくしてカルカッタ（現在のコルカタ）に移った。ロレト修道会が経営する聖マリア学院という学校がカルカッタにあって、彼女はそこで地理を教えることになったからだ。そのときには彼女は修道女になっており、シスター・テレサを名乗っていた。聖マリア学院は、インドの上流階級の子供たちが通う学校で、授業で使う言語は英語であった。1944年には、彼女は聖マリア学院の校長に任命されている。前途が約束された修道会のエリートだったといえるだろう。

▶ミッション校の校長からカルカッタの街頭へ

その頃のカルカッタは、混沌とした町だった。インド特有のカースト制度が支配する一方で、独立を前にしてヒンズー教徒とイスラム教徒が対立し、疾病や貧困にあえぐ下層の人々がスラムを形成していた。こうしたインドの現実の中に、快適な生活を捨ててシスター・テレサはあえて自分の身を投じていく。すでにインドの市民権を獲得しており、インドに永住する覚悟も決めていた。

シスター・テレサが修道女会を出て、「神の愛の宣教者会」という自分の組織を作ったのは1950年のことだった。神の愛の宣教者会の最初の仕事は、カルカッタの街頭で貧しい子供たちを対象にした無料の授業を行うことであった。無料の授業には、聖マリア学院時代の教え子たちがボランティアで参加した。やがてシスター・テレサの活動は、最貧層の救済に特化していく。彼女は結核、ハンセン病、エイズなどに感染した大人や子供たちの世話をし、スープキッチン（生活困窮者のための無料給食施設）やホスピスの設立に奔走した。彼女のこうした人道的な活動が報道されると、世界中から義援金が寄せられるようになり、こうした義援金を基に、彼女は活動の場所をインドからアフリカ、中東、南アメリカなどへと広げていく。ハイチの独裁者であったデュバリエ父子など、問題がある人物が献金者のリストに名前を連ねていたことが、国際社会で物議を醸したこともあった。また人工妊娠中絶と離婚を強く否定し続けたことも、彼女に対する批判と攻撃を作り出す原因になった。

▶亡き後も受け継がれるマザー・テレサの精神

1979年のノーベル平和賞は、それまでさまざまな賞を与えられていた彼女にとって、その集大成のようなものであった。尊敬を込めてマザー・テレサと呼ばれるようになっていた彼女は、ノーベル平和賞の授賞式に出席してスピーチはしたが、恒例になっている晩さん会には出席しなかった。賞金を受け取ったときには「このお金でいくつパンが買えるでしょうか」と言ったという。採録した授賞式でのスピーチが示すように、マザー・テレサは聖書が教えるキリストの愛を、その通りに実行しようとした人間だった。キリストは自分が教える愛を実行したために最初の殉教者となったが、マザー・テレサは殉教者ではなく、聖人に次ぐ「福者」になった。ローマ教皇ヨハネ・パウロ2世が、彼女を福者に列したからだ。彼女が世を去ってから6年後のことである。それから更に13年後の2016年には「聖人」に列せられた。

長い献身の生活は、マザー・テレサの心臓に大きな負担となっていた。2回の心臓発作の後、彼女はペースメーカーに頼る生活を余儀なくされ、1996年には心臓の手術を受けなければならないほどの容態を迎えた。その前には転倒して鎖骨を折っており、またマラリアにもかかっていた。1997年9月5日にカルカッタで息を引き取ったときは、87歳だった。インド政府は国葬で彼女を弔った。大統領と首相を除いては、初めてのことであった。

マザー・テレサが始め、彼女に続く者たちが継続させてきた貧民街での救済活動は、今でも世界各地で続いている。その数は、最新の報告によると、123カ国の610カ所にも及ぶという。

09 マーティン・ルーサー・キング牧師 Martin Luther King, Jr.

ワシントン大行進演説（1963年8月28日）

1929年1月15日アメリカ・ジョージア州生まれ。本名マーティン・ルーサー・キング・ジュニア。バプティスト派の牧師となった後、1955年ボストン大学神学部で博士号を取得。同年モンゴメリー・バス・ボイコット運動を指導、以後「非暴力主義」を貫きながら人種差別の撤廃と各人種の協和を訴え続けた。1964年ノーベル平和賞受賞、1968年に暗殺された。

世界に与えたインパクト

1960年代のアメリカは、segregation（差別・隔離（かくり））とかintegration（統合・人種的非差別）といった表現が多用された時代である。とりわけ南部の州に行けば行くほど、食堂、公衆便所、公共交通機関、学校などをめぐってこの表現がしょっちゅう使われた。そうした時代に南部ジョージア州アトランタから首都ワシントンD.C.に「攻めのぼって」来たひとりがマーティン・ルーサー・キング牧師である。残された肉声に迫力がある。

①I am happy to join with you today in what will go down in history (歴史に残る) as the greatest demonstration for freedom in the history of our nation.

②Five score years (20年) ago, a great American, in whose symbolic shadow we stand today, signed the Emancipation Proclamation. ③This momentous decree came as a great beacon light (標識灯) of hope to millions of Negro slaves who had been seared in the flames of withering injustice. ④It came as a joyous daybreak to end the long night of their captivity.

⑤But one hundred years later, the Negro still is not free. ⑥One hundred years later, the life of the Negro is still sadly crippled by the manacles of segregation and the chains of discrimination. ⑦One hundred years later, the Negro lives on a lonely island of poverty in the midst of a vast ocean of material prosperity. ⑧One hundred years later, the Negro is still languished in the corners of American society and finds himself an exile in his own land. ⑨And so we've come here today to dramatize (表現する) a shameful condition.

⑩In a sense we've come to our nation's capital to cash a check. ⑪When the architects of our republic wrote the magnificent words of the Constitution and the Declaration of Independence, they were signing a promissory note to which every American was to fall heir (受け継ぐ). ⑫This note was a promise that all men, yes, black men as well as white men, would be guaranteed the "unalienable Rights" of "Life, Liberty and the pursuit of Happiness."

①アメリカ史上最も偉大な自由を求めるデモとして後世に語り継がれることになる、今回のデモに皆さんと参加できることをうれしく思います。

② 100年前、今日私たちに象徴的な影響を与えている偉大なアメリカ人（リンカーン大統領）が、奴隷解放宣言に署名しました。③この由々しき宣言は、容赦ない不正義の炎に焼きつけられてきた何百万人という黒人奴隷にとって、大きな希望の灯火となったのです。④喜びに溢れた朝日が射し込み、長い囚われの身の夜に終わりが訪れたのです。

⑤しかしその100年後になっても、黒人はまだ自由を手にしてはいません。⑥ 100年後になっても、隔離という手錠と差別という鎖は外れず、悲しくもまだ黒人の生活から自由が奪われています。⑦ 100年後になっても、黒人は物質的繁栄という大洋の真っただ中で、貧困という名の孤島に暮らしています。⑧ 100年後になっても、黒人はまだアメリカ社会の片隅で惨めな暮らしを強いられ、気がつけば自国にいながら難民のように生きているのです。⑨ですから私たちは今日、ここで恥ずべき現状を浮き彫りにしようとやってきました。

⑩ある意味、小切手を換金しようと首都までやってきたようなものです。⑪わが合衆国の建国者たちが格調高い言葉で憲法と独立宣言を起草したとき、すべてのアメリカ人が継承するべき約束手形に署名をしたのです。⑫この手形はすべての人間、そう、白人のみならず黒人を含むすべての人間に「生命、自由、および幸福の追求」に対する「不可侵の権利」の保障を約束するものでした。

①It is obvious today that America has defaulted (〜の履行を怠る) on this promissory note, insofar as (〜する範囲で) her citizens of color are concerned. ②Instead of honoring this sacred obligation, America has given the Negro people a bad check, a check which has come back marked "insufficient funds."

③But we refuse to believe that the bank of justice is bankrupt. ④We refuse to believe that there are insufficient funds in the great vaults of opportunity of this nation. ⑤And so, we've come to cash this check, a check that will give us upon demand the riches of freedom and the security of justice.

⑥We have also come to this hallowed spot to remind America of the fierce urgency of Now. ⑦This is no time to engage in (〜に従事する) the luxury (ぜいたく) of cooling off or to take the tranquilizing drug of gradualism. ⑧Now is the time to make real the promises of democracy. ⑨Now is the time to rise from the dark and desolate valley of segregation to the sunlit path of racial justice. ⑩Now is the time to lift our nation from the quicksands (流砂) of racial injustice to the solid rock of brotherhood. ⑪Now is the time to make justice a reality for all of God's children.

⑫It would be fatal for the nation to overlook the urgency of the moment. ⑬This sweltering summer of the Negro's legitimate discontent will not pass until there is an invigorating autumn of freedom and equality. ⑭Nineteen sixty-three is not an end, but a beginning. ⑮And those who hope that the Negro needed to blow off steam (うっぷんを晴らす) and will now be content will have a rude awakening (突然のショック) if the nation returns to business as usual (普段の生活).

①今日、有色人種に関する限り、アメリカがこの約束手形を履行していないことは明らかです。②アメリカはこの神聖な義務を履行せず、黒人に対して不渡り小切手を、「残高不足」と刻印されて返されてしまった小切手を、切ってきたのです。

③しかし私たちは正義という名の銀行が破たんしていると考えることを拒否します。④この国の機会という名の大金庫が資本不足だと考えることを拒否するのです。⑤だからこそ、この小切手を、要求に応じて私たちに自由という富と正義という安全を与えてくれる小切手を、換金しにやってきました。

⑥またこの神聖な地にやってきたのは、アメリカに現在の事態の緊急性を思い出してもらうためでもあります。⑦今は落ち着いて頭を冷やすという悠長なことをするべき時でも、漸進主義という精神安定剤を飲んでいるべき時でもありません。⑧民主主義の約束を現実のものにするべき時なのです。⑨暗く陰うつな差別の淵から立ち上がり、日の当たる人種的正義の道へと進むべき時なのです。⑩人種的不公平という泥沼からわが国を救い出し、兄弟愛という強固な岩場へと引き上げるべき時なのです。⑪神の子すべてにとって自由を現実のものとするべき時なのです。

⑫この国が現在の事態の緊急性を見過ごしてしまえば、致命的なことになるでしょう。⑬黒人の正当な不満で満ちたこの灼熱の夏は、自由と平等という爽快な秋がやってくるまで終わらないでしょう。⑭ 1963 年は終わりではなく、始まりなのです。⑮黒人は憂さ晴らしをしたかっただけで、これで満足だろうと思いたい人は、国がいつもの状態に戻ると、ひどく幻滅することになるでしょう。

① And there will be neither rest nor tranquility in America until the Negro is granted (与える) his citizenship rights. ② The whirlwinds of revolt will continue to shake the foundations of our nation until the bright day of justice emerges.

③ But there is something that I must say to my people, who stand on the warm threshold which leads into the palace of justice: ④ In the process of gaining our rightful place, we must not be guilty of (～の罪を犯す) wrongful deeds. ⑤ Let us not seek to satisfy our thirst for freedom by drinking from the cup of bitterness and hatred. ⑥ We must forever conduct our struggle on the high plane of dignity and discipline. ⑦ We must not allow our creative protest to degenerate into (悪化して～になる) physical violence. ⑧ Again and again, we must rise to the majestic heights of meeting physical force with soul force.

⑨ The marvelous new militancy which has engulfed the Negro community must not lead us to a distrust of all white people, for many of our white brothers, as evidenced (証拠立てる) by their presence here today, have come to realize that their destiny is tied up with our destiny. ⑩ And they have come to realize that their freedom is inextricably bound to our freedom.

⑪ We cannot walk alone.

⑫ And as we walk, we must make the pledge that we shall always march ahead.

⑬ We cannot turn back.

⑭ There are those who are asking the devotees of civil rights, "When will you be satisfied?"

①そして黒人が公民権を手にするまで、アメリカに休息や静寂が訪れることはないでしょう。②うららかな正義の日を迎えるまで、わが国の根幹は反乱の旋風で揺らぎ続けるでしょう。

③しかし、正義という名の宮殿へ続く暖かな門口に立っている黒人同胞に言わなくてはならないことがあります。④正当な立場を得ようとする過程において、不正な行為を犯してはなりません。⑤自由への渇望を敵意と嫌悪という杯で満たすようなことはしてはなりません。⑥常に尊厳と規律という高みから奮闘していかなくてはならないのです。⑦さまざまな工夫を凝らして抵抗していく中で、肉体的暴力に訴えて品位を下げることがあってはなりません。⑧繰り返しますが、精神の力をもって肉体の力に抵抗することで、尊厳ある高みに達していかなくてはならないのです。

⑨黒人社会を包み込む素晴らしい新たな闘志が、すべての白人に対する不信感へとつながるようなことがあってはなりません。なぜなら今日ここに足を運んでくれていることからも分かるように、白人の同胞の中にも、自分の運命は私たち黒人の運命に直結していると気づいた人が少なくないからです。⑩自分たちの自由は、私たち黒人の自由と複雑に絡み合っているということを悟ったのです。

⑪私たちだけで歩むことはできません。

⑫そして私たちは道中、常に前進し続けることを誓わなければなりません。

⑬後戻りはできません。

⑭公民権の支持者たちに「いつになったら満足するのだ？」と尋ねる人々がいます。

① We can never be satisfied as long as the Negro is the victim of the unspeakable horrors of police brutality. ② We can never be satisfied as long as our bodies, heavy with the fatigue of travel, cannot gain lodging in the motels of the highways and the hotels of the cities. ③ We cannot be satisfied as long as a Negro in Mississippi cannot vote and a Negro in New York believes he has nothing for which to vote. ④ No, no, we are not satisfied, and we will not be satisfied until "justice rolls down like waters, and righteousness like a mighty stream."

⑤ I am not unmindful that some of you have come here out of great trials and tribulations. ⑥ Some of you have come fresh from (～から来たばかりの) narrow jail cells. ⑦ And some of you have come from areas where your quest — quest for freedom — left you battered by the storms of persecution and staggered by the winds of police brutality. ⑧ You have been the veterans (経験豊かな人) of creative suffering. ⑨ Continue to work with the faith that unearned suffering is redemptive. ⑩ Go back to Mississippi, go back to Alabama, go back to South Carolina, go back to Georgia, go back to Louisiana, go back to the slums and ghettos of our northern cities, knowing that somehow this situation can and will be changed.

⑪ Let us not wallow in the valley of despair, I say to you today, my friends.

⑫ So even though we face the difficulties of today and tomorrow, I still have a dream. ⑬ It is a dream deeply rooted in the American dream.

①黒人が警察の蛮行という言語に絶する恐怖の犠牲者である限り、私たちは満足することなどできません。②移動で疲れ果てた重い体を高速道路のモーテルや都市のホテルで休めることができない限り、満足することなどできません。③ミシシッピーの黒人が投票できなかったり、ニューヨークの黒人が投票しても意味がないなどと思っていたりする限り、満足することなどできません。④私たちは決して満足していませんし、「正義が洪水のように、恵みの業が大河のように流れる（聖書アモス書5：24)」ようにならなければ、満足することなどできないのです。

⑤皆さんの中には大きな試練や苦難を乗り越えてここにやってきた人もいるということに、私は無頓着なわけではありません。⑥狭い独房から出たばかりの人もいます。⑦そして自由を求めた結果、迫害という嵐に打ちのめされ、警察の蛮行という暴風に圧倒された人もいます。⑧皆さんは建設的な苦しみをくぐり抜けてきたのです。⑨不当な苦しみはいつかあがなわれると信じて努力を続けていきましょう。⑩状況は変えられるし変わるものだと信じて、ミシシッピー、アラバマ、サウスカロライナ、ジョージア、ルイジアナ、そして北部の都市のスラムやゲットーに戻りましょう。

⑪友よ、今日皆さんに伝えます、絶望の淵でもがくのはやめましょう。

⑫ですから、現在も将来も困難に直面していくことになろうとも、私にはまだ夢があります。⑬アメリカン・ドリームに深く根ざした夢です。

①I have a dream that one day this nation will rise up and live out (実現する) the true meaning of its creed: "We hold these truths to be self-evident, that all men are created equal."

②I have a dream that one day on the red hills of Georgia, the sons of former slaves and the sons of former slave owners will be able to sit down together at the table of brotherhood.

③I have a dream that one day even the state of Mississippi, a state sweltering with the heat of injustice, sweltering with the heat of oppression, will be transformed into an oasis of freedom and justice.

④I have a dream that my four little children will one day live in a nation where they will not be judged by the color of their skin but by the content of their character.

⑤I have a dream today!

⑥I have a dream that one day, down in Alabama, with its vicious racists, with its governor having his lips dripping with the words of "interposition" and "nullification" — one day right there in Alabama little black boys and black girls will be able to join hands with little white boys and white girls as sisters and brothers.

⑦I have a dream today!

⑧I have a dream that one day every valley shall be exalted (高める), and every hill and mountain shall be made low, the rough places will be made plain, and the crooked places will be made straight; "and the glory of the Lord shall be revealed and all flesh shall see it together."

①私には夢があります、いつかこの国が立ち上がり、「われわれは人間がすべて生まれながらにして平等であるということを自明のものと考える」という、その信条の真の意味を実現するという夢が。

②私には夢があります、いつかジョージアの赤土の丘でかつて奴隷だった人の息子と奴隷所有者だった人の息子が兄弟愛という名のテーブルに肩を並べて座るという夢が。

③私には夢があります、不正と抑圧という灼熱地獄と化しているミシシッピーのような州でさえも、いつか自由と正義のオアシスに変ぼうを遂げるという夢が。

④私には夢があります、いつか私の４人の幼い子供たちが、皮膚の色ではなく人格によって判断される国に暮らすという夢が。

⑤今、私には夢があるのです！

⑥私には夢があります、非道な人種差別論者がいて、州知事が「州権優位性」「実施拒否」といった言葉を連発している南部のアラバマでも、いつか黒人の少年少女が白人の少年少女と兄弟姉妹として手を取り合えるようになるという夢が。

⑦今、私には夢があるのです！

⑧私には夢があります、いつか谷はすべて身を起こし、山と丘はすべて身を低くし、険しい道は平らに、ゆがんだ場所はまっすぐになり、「主の栄光が現れるのを、すべての肉なる者が共に見る（聖書イザヤ書 40:4-5)」という夢が。

① This is our hope, and this is the faith that I go back to the South with.

② With this faith, we will be able to hew out of the mountain of despair a stone of hope. ③ With this faith, we will be able to transform the jangling discords of our nation into a beautiful symphony of brotherhood. ④ With this faith, we will be able to work together, to pray together, to struggle together, to go to jail together, to stand up for freedom together, knowing that we will be free one day.

⑤ And this will be the day when all of God's children will be able to sing with new meaning:

⑥ *My country, 'tis of thee,*
sweet land of liberty,
of thee I sing.
Land where my fathers died,
land of the Pilgrim's pride,
From every mountainside,
let freedom ring!

⑦ And if America is to be a great nation, this must become true.

⑧ And so let freedom ring from the prodigious hilltops of New Hampshire.

⑨ Let freedom ring from the mighty mountains of New York.

⑩ Let freedom ring from the heightening Alleghenies of Pennsylvania.

①これが私たちの希望であり、私はこの信念とともに南部へと戻っていくのです。

②この信念があれば、絶望の山から希望の石を切り出すことができます。③この信念があれば、この国の耳障りな不協和音を兄弟愛という美しい交響曲に変えることができるのです。④この信念があれば、いつか自由になる日がくると信じて共に働き、共に祈り、共に戦い、共に投獄され、共に自由を求めて立ち上がることができるのです。

⑤そしてその日こそが、神の子がそろって、新たな意味を込めてこう歌える日になるのです。

⑥わが祖国よ、そは汝(なんじ)のもの、
麗しき自由の地、
われ汝を歌わん。
祖先らが逝きし地、
ピルグリムの誇りの地、
いずこの山よりも
自由の鐘を鳴らさん！

⑦アメリカが偉大な国家であろうとするならば、これが現実のものとならなければなりません。

⑧ですからニューハンプシャーの壮大な山上から自由の鐘を鳴り響かせましょう。

⑨ニューヨークの広大な山々から自由の鐘を鳴り響かせましょう。

⑩ペンシルベニアにそびえるアレゲーニー山脈から自由の鐘を鳴り響かせましょう。

① Let freedom ring from the snow-capped Rockies of Colorado.

② Let freedom ring from the curvaceous slopes of California.
曲線的な

③ But not only that:

④ Let freedom ring from Stone Mountain of Georgia.

⑤ Let freedom ring from Lookout Mountain of Tennessee.

⑥ Let freedom ring from every hill and molehill of Mississippi.
モグラ塚

⑦ From every mountainside, let freedom ring.

⑧ And when this happens, when we allow freedom ring, when we let it ring from every village and every hamlet, from every state and every city, we will be able to speed up that day when all of God's children, black men and white men, Jews and Gentiles, Protestants and Catholics, will be able to join hands and sing in the words of the old Negro spiritual:

⑨ *Free at last!*

Free at last!

Thank God Almighty, we are free at last!

①コロラドの雪を頂くロッキー山脈から自由の鐘を鳴り響かせましょう。

②カリフォルニアのなだらかな山々から自由の鐘を鳴り響かせましょう。

③まだ終わりではありません。

④ジョージアのストーン山から自由の鐘を鳴り響かせましょう。

⑤テネシーのルックアウト山から自由の鐘を鳴り響かせましょう。

⑥ミシシッピーの丘という丘、塚という塚から自由の鐘を鳴り響かせましょう。

⑦ありとあらゆる山腹から自由の鐘を鳴り響かせましょう。

⑧そして、これが現実となり自由の鐘を鳴り響かせれば、ありとあらゆる村や集落、州や都市から自由の鐘を鳴り響かせれば、黒人も白人も、ユダヤ教徒も非ユダヤ教徒も、プロテスタントもカトリックも、神の子がすべて手に手を取って、この伝統的な黒人霊歌を歌える日の到来が早まるのです。

⑨やっと自由だ！
自由になった！
全能の神に感謝する、やっと自由になれたのだ！

マーティン・ルーサー・キング牧師「ワシントン大行進演説」の背景
background

▶数十万人がワシントンに集った日

1963年8月28日。アメリカの首都ワシントンに全国から人々が集った。列車や車でやってきた人々、バスや飛行機までチャーターしてやってきた人々。その数は20万人とも30万人とも報道された。およそ10人のうち8人はアフリカ系アメリカ人であった。

彼らがワシントンに集ったのは「仕事と自由を求めるワシントン行進」に参加するためである。この行進は、「有色人種に白人と同等の就業機会と政治・社会生活での自由を」を共通の合言葉に公民権獲得の運動を進めてきた複数の団体が共同で開催することになったもので、主催者としてA・フィリップ・ランドルフ、ジェイムス・ファーマー、ジョン・ルイス、ロイ・ウィルキンズ、ホイットニー・ヤング、そしてマーティン・ルーサー・キング・ジュニアが名を連ねていた。いずれも公民権運動を広く展開していた全国組織の指導者たちである。

思想や理念、さらには戦略や戦術をめぐって、彼らの考えは必ずしも一致していたわけではなかったが、ひとつの重要な点では合意していた。それはケネディ大統領が連邦議会に求めていた公民権法の制定を全員が支持していたということだ。このことはワシントン行進に「反政府」ではなく「親政府」の性格を与え、デモと集会の会場になったワシントンの市民たちの間に、彼らを歓迎する空気が見られることにもなった。

6人の指導者が演説し、ボブ・ディランやジョーン・バエズが演奏することになる演壇は、「奴隷解放の父」リンカーンを記念するリンカーン・メモリアルを背景にしていたため、テレビ中継の映像や報道写真は象徴的な構図を手にすることができた。後に「I have a dream speech」といわれるようになるキング牧師の演説は、このような状況と背景の下に行われたのだ。

▶キング牧師の演説が人の心を打つ理由

ちょうど100年前の1863年に当時大統領だったリンカーンが奴隷解放宣言に署名したことを思い起こさせることから、キング牧師の演説は始まる。リンカーンが署名した奴隷解放宣言は、たとえて言えばアフリカ系市民（当時はまだ「黒人」という呼び方が一般的だった）に対する「約束手形」であったのだが、100年たった今もまだその約束手形は換金されていない、と。誰にでも分かるようなたとえにして説くというのは、バプティスト教会の牧師として「普通」の人々に説教をしてきたキング牧師が職業的に身につけた「得意な技術」であったに違いない。

この後キング牧師は合衆国の各地、とりわけ南部諸州で依然として続いているアフリカ系市民に対する差別的扱いの実態について、具体的な例を提示する。そのうちのいくつかは、キング牧師自身が受けたものでもあった。このようにして聴衆の共感の高まりを作り上げたところで、キング牧師は演説のトーンを変える。「現実」ではなく「夢」として「要求」を突きつけるのだ。この演説の凄(すご)みはここにある。リンカーンが生きていたら、この演説をどう聴いたであろうか。そんなことまでが連想されるくだりだ。

▶非暴力で戦い続けた生涯

マーティン・ルーサー・キング牧師は、1929年に合衆国南部ジョージア州アトランタに生まれた。アトランタは南北戦争の最大の激戦地である。「自分の祖先は合衆国の建国より前から南部に住んでいた」と述べたことがあるように、キング牧師の家系は「生粋」の南部人である。

そしてそのことはキング牧師が「誇るべき」奴隷の子孫であることを意味するものでもあった。キング牧師の父親は、もともとはマイケル・キングという名前の牧師であり、生まれた息子にマイケル・キング・ジュニアという名前をつけたが、後にドイツを訪れて宗教改革者のマルティン・ルターの業績に心服し、自分と息子の名前をマイケルからマーティン・ルーサー（マルティン・ルターの英語読み）に変えたという経緯がある。外国の偉人に心服するというのはキング一家の伝統のようで、息子のキング牧師も成人してからインドを訪れ、ガンジーの非暴力主義に感銘している。非暴力主義は、キング牧師が生涯守り続けた行動哲学であった。

マーティン・ルーサー・キング・ジュニアは15歳で大学に入学を許可され、18歳で卒業している。その後、北部ペンシルベニア州の神学校に進んで牧師の資格を取り、バプティスト派の牧師になった。ボストン大学で博士号も取得している。ワシントン行進に指導者のひとりとして参加したときには34歳であった。

キング牧師らが情熱を傾けた公民権運動は、ワシントン行進で高まりを見せた後、変容していく。3カ月もたたないうちにケネディ大統領が暗殺され、ベトナム戦争の激化に合わせて公民権運動と反戦運動が過激な相乗作用を作り出す。あくまでも非暴力主義を貫こうとするキング牧師に、ノーベル賞委員会は1964年のノーベル平和賞を授与するが、そのキング牧師も4年後、暗殺者の凶弾に倒れる。「夢」はまだ完全には実現していなかった。

10 ジョン・F・ケネディ大統領 John Fitzgerald Kennedy

就任演説（1961年1月20日）

1917年5月29日アメリカ・マサチューセッツ州生まれ。ハーバード大学卒。第2次世界大戦に志願後、1952年に上院議員に選出された一方、著書『勇気ある人々』でピュリッツァー賞受賞。「ニューフロンティア精神」を唱え、43歳で第35代アメリカ合衆国大統領に就任。キューバ危機回避、冷戦問題などで成果を上げたが、1963年暗殺された。

世界に与えたインパクト

残された肉声の素晴らしさという点でいえば、ジョン・F・ケネディの大統領就任演説もそのひとつだろう。アメリカ史上最年少で就任した大統領という記録は、まだ破られていない。そしてまたケネディは、テレビジョンの力というものを的確に理解していた最初の大統領でもある。この就任演説を聴く者は、氷点下の寒空の下、帽子をかぶらずに演説する若い大統領の姿を思い浮かべるに違いない。ボストンなまりの英語もポイントのひとつ。

①Vice President Johnson, Mr. Speaker, Mr. Chief Justice, President Eisenhower, Vice President Nixon, President Truman, reverend clergy, fellow citizens:

②We observe today not a victory of party, but a celebration of freedom — symbolizing an end, as well as a beginning — signifying renewal, as well as change. ③For I have sworn before you and Almighty God the same solemn oath our forebears prescribed nearly a century and three quarters ago.

④The world is very different now. ⑤For man holds in his mortal hands the power to abolish all forms of human poverty and all forms of human life. ⑥And yet the same revolutionary beliefs for which our forebears fought are still at issue (論争中の) around the globe — the belief that the rights of man come not from the generosity of the state, but from the hand of God.

⑦We dare not forget today that we are the heirs of that first revolution. ⑧Let the word go forth from this time and place, to friend and foe alike, that the torch has been passed to a new generation of Americans — born in this century, tempered by war, disciplined by a hard and bitter peace, proud of our ancient heritage, and unwilling to witness or permit the slow undoing of those human rights to which this nation has always been committed, and to which we are committed today at home and around the world.

①ジョンソン副大統領、議長、最高裁長官、アイゼンハワー大統領、ニクソン副大統領、トルーマン大統領、聖職者の方々、国民の皆さん。

②今日私たちが目にしているのは、党の勝利ではなく自由の祝福です。それは始まりとともに終わりを象徴するものであり、変化とともに再生を示すものです。③先人が175年ほど前に起草したものと同じ厳粛な宣誓を、私が皆さんと全能の神の前で行ったからです。

④世界は大きく変ぼうを遂げています。⑤なぜなら、人間は死をまぬがれない存在ですが、人間は人類のあらゆる種類の貧困のみならず、あらゆる種類の人命を根絶する力をも手にしているからです。⑥それにもかかわらず、世界では、私たちの先人が独立戦争の旗印としたものと同じ革命の信念が、未だ争点となっています。その信念とは、人間の権利は国家の寛大さからではなく、神の手から授かるものなのだという信念です。

⑦今日、私たちはその最初の革命の後継者であることを決して忘れてはいけません。⑧灯火が新しい世代のアメリカ人に受け継がれたということを、今この時この場所から、味方にも敵にも広めていきましょう。新しい世代のアメリカ人とは、今世紀に生まれ、戦争によって鍛えられ、厳しく苦い平和に律され、昔からの遺産に誇りを持っている世代であり、わが国が常に信奉し今では国内でも世界中でも信奉されている人権が徐々に破滅していくのを傍観したり黙認したりしようとはしない世代です。

①Let every nation know, whether it wishes us well or ill, that we shall pay any price, bear any burden, meet any hardship, support any friend, oppose any foe, to assure the survival and the success of liberty.

②This much we pledge — and more.

③To those old allies whose cultural and spiritual origins we share, we pledge the loyalty of faithful friends. ④United there is little we cannot do in a host of cooperative ventures. ⑤Divided there is little we can do — for we dare not meet a powerful challenge at odds (対立して) and split asunder (ばらばらに裂けて).

⑥To those new states whom we welcome to the ranks of the free, we pledge our word that one form of colonial control shall not have passed away merely to be replaced by a far more iron tyranny. ⑦We shall not always expect to find them supporting our view. ⑧But we shall always hope to find them strongly supporting their own freedom — and to remember that, in the past, those who foolishly sought power by riding the back of the tiger ended up inside.

⑨To those people in the huts and villages of half the globe struggling to break the bonds of mass misery, we pledge our best efforts to help them help themselves, for whatever period is required — not because the Communists may be doing it, not because we seek their votes, but because it is right. ⑩If a free society cannot help the many who are poor, it cannot save the few who are rich.

①わが国の幸福を祈る国であろうが不幸を願う国であろうが、世界のすべての国に知らしめましょう。自由の存続と繁栄を確かなものにするためであれば、私たちがどんな代償も払い、どんな負担にも耐え、どんな困難にも立ち向かい、どんな友人でも支援し、どんな敵にも対峙していくということを。

②このことを誓い、さらにそれ以上を誓います。

③私たちが文化的・精神的起源を共有している昔からの同盟国には、忠実なる友人としての忠誠を誓います。④一致団結すれば、協力して数々の危険な試みに挑んで、できないことはほとんどありません。⑤分裂してしまえば、ほとんど何もできなくなってしまいます。不和・対立状態で大きな困難に立ち向かっていこうとは到底しないでしょうから。

⑥自由主義圏の一員として新たに迎え入れることになった国々に対しては、ひとつの植民地支配が終わっても、いっそう冷酷な別の専制支配が取って代わるだけにはならないことを誓います。⑦こういった国々が私たちの見解に賛同してくれることを必ずしも期待するつもりはありません。⑧しかしそういった国が自らの自由を強固に支持している姿を見られるよう、常に願っていきます。そして、過去に愚かにもトラの背に乗ることで権力を求めた者たちは、トラのえじきと成り果てたということを忘れないでほしいのです。

⑨世界の半分には、集団的な貧困の鎖を断ち切ろうと、あばら屋や村落で悪戦苦闘している人たちがいますが、そういった人たちには、どれだけ時間がかかろうとも、自助努力を支援すべく最大限の努力を払うことを誓います。それは、共産主義者がそうする可能性があるからでも、票稼ぎがしたいからでもなく、それが正しいことだからです。⑩貧困にあえぐ多くの人を支援することのできない自由社会は、少数の富裕層を救うこともできないのです。

①To our sister republics south of our border, we offer a special pledge: to convert our good words into good deeds, in a new alliance for progress, to assist free men and free governments in casting off (捨て去る) the chains of poverty. ②But this peaceful revolution of hope cannot become the prey of hostile powers. ③Let all our neighbors know that we shall join with them to oppose aggression or subversion anywhere in the Americas. ④And let every other power know that this hemisphere intends to remain the master of its own house.

⑤To that world assembly of sovereign states, the United Nations, our last best hope in an age where the instruments of war have far outpaced the instruments of peace, we renew our pledge of support — to prevent it from becoming merely a forum for invective, to strengthen its shield of the new and the weak, and to enlarge the area in which its writ (令状) may run.

⑥Finally, to those nations who would make themselves our adversary, we offer not a pledge but a request: that both sides begin anew the quest for peace, before the dark powers of destruction unleashed by science engulf (巻き込む) all humanity in planned or accidental self-destruction.

⑦We dare not tempt them with weakness. ⑧For only when our arms are sufficient beyond doubt can we be certain beyond doubt that they will never be employed.

①わが国の国境の南には、姉妹的な関係にある共和国がありますが、そういった国々に対しては特別な誓いを立てます。それは進歩を目指し新たに同盟を築く中で善言を善行に変え、自由な人々と政府が貧困の鎖を断ち切る援助を行っていくということです。②しかし、この平和的な希望の革命を敵対勢力のえじきにしてしまってはいけません。③アメリカ大陸のどこであっても、わが国には共に侵略や転覆に対峙していく意思があることを、すべての近隣諸国に知らしめましょう。④そしてこちら側の半球には自立を保つ意思があることを、ほかのすべての勢力に知らしめましょう。

⑤主権国家が集まる国際機関、国際連合は、戦争の手段が平和の手段をはるかに凌駕している現代においては最大の頼みの綱でもありますが、その国連に対して、改めて支持を誓います。国連が単なる誹謗中傷の場と化すことを防ぎ、新たに誕生した国家やぜい弱な国家を保護する機能を強化し、その権限が及ぶ地域を拡大することを支持すると誓います。

⑥最後に、私たちと敵対することを選択するような国家に対しては、誓いではなく要請をします。計画的なものであろうが事故的なものであろうが、科学の力が解き放つ邪悪な破壊力で全人類が自滅に追い込まれるような事態に陥る前に、両陣営が平和への道を模索していくことを要請します。

⑦私たちがそういった国に対して弱腰で対峙することはありません。⑧十分な武力が疑いなく備わっていて初めて、武力行使が行われないという確信が疑いなく持てるのですから。

① But neither can two great and powerful groups of nations take comfort (慰めを得る) from our present course — both sides overburdened by the cost of modern weapons, both rightly alarmed by the steady spread of the deadly atom, yet both racing to alter that uncertain balance of terror that stays the hand (決め手) of mankind's final war.

② So let us begin anew — remembering on both sides that civility is not a sign of weakness, and sincerity is always subject to (～を条件として) proof. ③ Let us never negotiate out of fear, but let us never fear to negotiate.

④ Let both sides explore what problems unite us instead of belaboring those problems which divide us.

⑤ Let both sides, for the first time, formulate serious and precise proposals for the inspection and control of arms, and bring the absolute power to destroy other nations under the absolute control of all nations.

⑥ Let both sides seek to invoke the wonders of science instead of its terrors. ⑦ Together let us explore the stars, conquer the deserts, eradicate disease, tap the ocean depths, and encourage the arts and commerce.

⑧ Let both sides unite to heed (留意する), in all corners of (～の至るところ) the earth, the command of Isaiah — to "undo the heavy burdens, and [to] let the oppressed go free."

①しかし、現在の路線を歩むのでは、世界の国家の二大勢力のどちらも安心することができません。両陣営とも現代兵器のコストという過大な負担を抱え、破壊的な原爆が着実に拡散しつつあることに無理からぬ危機感を覚え、その一方で最終戦争を押し止める不透明な恐怖の均衡を変えようと競い合ってしまっています。

②ですから、再び一から始めようではありませんか。礼儀正しさは弱さの象徴ではなく、誠実さが認められるには常に証拠が必要だということを両陣営とも肝に銘じて。③恐怖ゆえに交渉することがあってはなりませんが、交渉することに恐怖を覚えることがあってもなりません。

④両陣営を分断している問題をじょう舌に論じるのではなく、両陣営の団結へとつながる問題を探求していきましょう。

⑤初の試みとなりますが、両陣営が真摯に緻密な提案を練り上げて兵器の査察・管理を行い、他国を破壊へと導くような絶対的な武力を、すべての国家の絶対的な管理下に置きましょう。

⑥科学の脅威ではなく、科学の奇跡を引き出すべく努力しましょう。⑦力を合わせて宇宙を探索し、砂漠を征服し、病気を撲滅し、深海を開発し、芸術と商業の振興を図っていきましょう。

⑧両陣営が協力し、イザヤ（紀元前８世紀後半のイスラエルの大預言者）の言葉を世界各国の人々の心に刻んでいきましょう。「重荷を下ろし、抑圧されし者を解放」するのです。

①And, if a beachhead (足がかり) of cooperation may push back the jungle of suspicion, let both sides join in creating a new endeavor — not a new balance of power, but a new world of law — where the strong are just, and the weak secure, and the peace preserved.

②All this will not be finished in the first one hundred days. ③Nor will it be finished in the first one thousand days; nor in the life of this Administration; nor even perhaps in our lifetime on this planet. ④But let us begin.

⑤In your hands, my fellow citizens, more than mine, will rest the final success or failure of our course. ⑥Since this country was founded, each generation of Americans has been summoned to give testimony to its national loyalty. ⑦The graves of young Americans who answered the call to service surround the globe.

⑧Now the trumpet summons us again — not as a call to bear arms, though arms we need — not as a call to battle, though embattled we are — but a call to bear the burden of a long twilight struggle, year in and year out, “rejoicing in hope; patient in tribulation,” a struggle against the common enemies of man: tyranny, poverty, disease, and war itself.

⑨Can we forge against these enemies a grand and global alliance, North and South, East and West, that can assure a more fruitful life for all mankind? ⑩Will you join in that historic effort?

①そして協力という名の足場を築くことで疑念という名の混乱を押し戻すことができるのなら、団結し新たに努力していきましょう。新たな権力の均衡を図るのではなく、新たな法に基づいた世界を構築していくのです。強き者が公正で、弱き者が安全で、平和が維持されるような世界です。

②これを就任後、百日間ですべて達成することはありません。③千日間で達成することもなく、この政権が任期終了を迎えるまでに達成することもなく、私たちがこの地球上で生涯を終えるまでに達成することさえないかもしれません。④それでも着手しましょう。

⑤国民の皆さん、私たちの行く道が最終的に成功を収めるか失敗に終わるかは、私以上に皆さんの手にかかっています。⑥建国以来、各世代のアメリカ人が国家への忠誠を証明するべく召集されてきました。⑦召集に応えて兵役に就いた若きアメリカ人たちの墓は、世界中にあります。

⑧今、再び召集の笛が鳴り響いています。確かに兵器は必要ですが、武装を呼びかけるものではありません。確かに難題を抱えてはいますが、戦闘を呼びかけるものでもありません。夜明け前の長き戦いにおいて、来る年も来る年も「希望に胸を躍らせ、苦難に耐え」て戦う重荷、圧政・貧困・疾病・戦争そのものといった人類共通の敵と戦う重荷を背負うことを求めるものなのです。

⑨こういった人類共通の敵に対抗して、東西南北からなる壮大な地球規模の同盟を築き、全人類がもっと実り多い生活を送れる世界を築き上げることはできないでしょうか？　⑩この歴史的な試みに加わってはいただけないでしょうか？

① In the long history of the world, only a few generations have been granted the role of defending freedom in its hour of maximum danger. ② I do not shrink from (～を嫌がる) this responsibility — I welcome it. ③ I do not believe that any of us would exchange places with any other people or any other generation. ④ The energy, the faith, the devotion which we bring to this endeavor will light our country and all who serve it. ⑤ And the glow from that fire can truly light the world.

⑥ And so, my fellow Americans, ask not what your country can do for you; ask what you can do for your country.

⑦ My fellow citizens of the world, ask not what America will do for you, but what together we can do for the freedom of man.

⑧ Finally, whether you are citizens of America or citizens of the world, ask of (～に要求する) us here the same high standards of strength and sacrifice which we ask of you. ⑨ With a good conscience our only sure reward, with history the final judge of our deeds, let us go forth to lead the land we love, asking His blessing and His help, but knowing that here on earth God's work must truly be our own.

①世界の長い歴史の中で、最大の危機を迎えた時期に自由を守る役割を託された世代は、ごくわずかです。②私がこの責任にしり込みすることはありません。喜んで受けて立ちます。③私たちの中に他国の国民やほかの世代と立場を交換したいなどという人はいないと信じています。④この試みに捧げる活力・信念・献身が、わが国やわが国に仕える人たちを照らすのです。⑤そして、その灯火こそが真に世界を照らしていくのです。

⑥ですから、アメリカ国民の皆さん、国家が自分のために何をしてくれるのかではなく、自分が国家のために何ができるのかを問うてください。

⑦世界各国の皆さん、アメリカが自分のために何をしてくれるのかではなく、一致団結して人類の自由のために何ができるのかを問うてください。

⑧最後に、アメリカ国民であろうが、他国民であろうが、皆さんに求めるものと同じくらい高水準の強さと犠牲を、この政権にも求めていただきたいと思います。⑨良心を唯一確実な報酬と考え、最終的に自らの行為が歴史的に判断されることを認識し、神の祝福と援助を求めながらも、この地上では神の所業は完全に私たち自身の手で成し遂げなければならないことを自覚しながら、この愛すべき国を導いていきましょう。

ジョン・F・ケネディ大統領「就任演説」の背景
background

▶常識の壁を破った大統領就任

1960年代のアメリカには、まだ「WASP神話」が色濃く残っていた。アメリカ人として出世するためには、W（white=白人）、AS（Anglo-Saxon=イギリス系またはドイツ系）、P（Protestant=キリスト教のプロテスタント）の3つの条件を満たしていなければならないという考え方だ。この考え方の背景には、当時のアメリカ社会に内在していた実態が大きく影響していた。ヨーロッパ系アメリカ人ではあってもイギリス系やドイツ系ではない人たちは国内では少数派であり、またカトリック教徒やユダヤ教徒たちも、また同様に少数派であったからだ。アメリカ国民がグループとして行動する限り、少数派にはめったにチャンスはめぐってこないと、多くの人々が考えていた。

カトリック教徒たちには、もうひとつの状況が課せられていた。子だくさんである。カトリックの総本山であるローマ教皇庁は人工妊娠中絶を禁止していたし、受胎調節の方法も厳しく制限していたから、カトリック教徒の家庭は子供の数が多いことになる。子供の数が多くなれば、十分な教育をほどこすことができない。競争社会では不利になる。こうしたことが信じられ、なかば社会の常識になっていたのだ。この壁を破ったのが、ジョン・F・ケネディだった。

ケネディはケルト人の血と文化を受け継ぐアイルランド系の一族の出身である。じゃがいも飢饉のさなかの1848年にアイルランドを捨ててアメリカ東海岸のボストンに移住してきた人物が、アメリカにおけるケネディ一族の始祖となった。その孫のジョゼフは映画産業と株式への投資で財をなし、1929年の大恐慌の際は、直前に持ち株を売却して損失をまぬがれた。カトリック教徒であったジョゼフは、同様にカトリック教徒であった妻のローズとの間に9人の子をもうけ、第2子で次男のジョンがのちにカトリック教徒として初めてのアメリカ大統領になる。

▶就任演説に込められた誇りと自信

このような背景を知れば、1960年のアメリカ大統領選挙とその選挙でのケネディの勝利は、アメリカという国家にとっていかに画期的な出来事であったかが理解できるだろう。それまで不可能だと思い、なかばタブー視してきたことを民衆の力で変えていく。アメリカの選挙、とりわけ大統領選挙にはこのような特徴がある。大統領に当選したケネディ自身も、そうした確信を強く抱いて就任式の演説に臨んだに違いない。

副大統領や連邦下院議長など列席した人々へのあいさつに続けて、ケネディは「We observe today not a victory of party, but a celebration of freedom」と切り出す。celebration of freedomというのは何を意味しているのだろうか。それは次に続く「symbolizing an end, as well as a beginning」という文言から類推するしかない。何が「終わり」、何が「始まる」のかは、もちろん聴く人によって異なるが、ひとつの時代が終わり、新しい時代が始まるその境界線にいるのが自分であるというケネディの強烈な誇りと自己主張が聴き取れないであろうか。これに続くのが、「the torch has been passed to a new generation of Americans」以下の有名な国民へのメッセージだ。この一連のくだりで、ケネディはアメリカ国民に対して、古い観念と価値観からの脱却を呼びかけている。最後に出てくる「ask not what your country can do for you; ask what you can do for your country」の部分とあわせていえることは、43歳という歴史上最も若い年齢でアメリカの大統領になったケネディの、ほとばしるような強烈な自信と若さ、そしてエネルギーである。

▶次世代に受け継がれたケネディの精神

大統領に就任してから3年目の1963年11月22日、ジョン・F・ケネディは遊説で訪れていたテキサス州のダラスで暗殺される。ベトナム戦争への深入りもあって、それからしばらくアメリカは政治的にも社会的にも不安定な時代を迎える。司法長官として兄を支え、大統領を目指した弟のロバートも1968年の夏、民主党の大統領候補指名を目前にしながら、これまた暗殺される。末弟のエドワードは、連邦上院議員を長く務めたものの、過去の「事件」のために大統領候補にはならず、2008年には脳疾患を患って療養生活を余儀なくされた。ケネディ大統領のふたりの遺児のうち、息子のジョン・ジュニアは法律家になったが、1999年に小型機を操縦中に墜落して死亡、姉のキャロラインは大統領選挙でオバマ候補を支援したことが評価され、2013年から2017年まで駐日大使を務めた。

WASP神話に話を戻すならば、Wの壁は2009年にバラク・オバマが大統領に就任することによって破られた。そのバラク・オバマが生まれたのは、ジョン・F・ケネディが大統領に就任した1961年である。

11 ウィンストン・チャーチル Winston Churchill

鉄のカーテン演説（一部略）（1946年3月5日）

1874年11月30日イギリス・オックスフォードシャー州生まれ。サンドハースト王立陸軍士官学校を卒業後、軍事顧問としてキューバやインドを訪れ、1900年に下院選挙に出馬、当選。第1次世界大戦では海軍相として、第2次世界大戦時には首相として国を導き、1945年、イギリスを勝利に導いた。政治のみならず、その文才・画才も広く知られている。

世界に与えたインパクト

同じ英語を使う人々であるのに、アメリカ人たちがoverstatement（大げさな表現）を評価するのに対して、イギリス人たちはunderstatement（控えめな表現）を評価するという違いがあるのは興味深い。すべてを言葉や身体的表現で伝えないと相手が理解しないアメリカと、「言わずとも分かる」国であるイギリスとの文化の違いでもある。「控えめな表現」を使いながら、とてつもなく大きな課題を提示したという意味では歴史的な演説である。

（前半省略）

① A shadow has fallen upon the scenes so lately lighted by the Allied victory. ② Nobody knows what Soviet Russia and its Communist international organization intends to do in the immediate future, or what are the limits, if any, to their expansive and proselytizing tendencies. ③ I have a strong admiration and regard for the valiant Russian people and for my wartime comrade, Marshal Stalin. ④ There is deep sympathy and goodwill in Britain — and I doubt not here also — towards the peoples of all the Russias and a resolve to persevere（目的を貫く） through many differences and rebuffs in establishing lasting friendships. ⑤ We understand the Russian need to be secure on her western frontiers by the removal of all possibility of German aggression. ⑥ We welcome Russia to her rightful place among the leading nations of the world. ⑦ We welcome her flag upon the seas. ⑧ Above all, we welcome, or should welcome, constant, frequent and growing contacts between the Russian people and our own people on both sides of the Atlantic. ⑨ It is my duty however, for I am sure you would not wish me not to state the facts as I see them to you — it's my duty to place before you certain facts about the present position in Europe.

⑩ From Stettin in the Baltic to Trieste in the Adriatic, an iron curtain has descended across the Continent. ⑪ Behind that line lie all the capitals of the ancient states of Central and Eastern Europe.

（前半省略）

①連合国の勝利で最近明かりが灯った風景に、影が落ちています。②ソビエト・ロシアとその共産主義の国際的な組織が近い将来何をする意向であるのか、そして彼らの拡大・普及傾向に限界があるとするなら、それが何であるのか、誰にも分かりません。③私は勇敢なロシア人民と戦友であるスターリン元帥に対しては大きな賞賛と尊敬の念を持っています。④ここでも同様だと思いますが、英国には、ロシア圏のすべての人々に対して深い共感と親善の気持ちがあり、多くの違いや障害を乗り越え、永続する友情を築いていく決意があります。⑤ロシアには、西側の国境を安全なものにし、ドイツによる侵略の可能性をすべて取り除く必要があることは理解しています。⑥私たちはロシアを世界の主要国家の中の正当な地位に迎え入れます。⑦海上においてもロシア国旗を歓迎します。⑧何よりも、ロシア国民と大西洋を挟んだ英米両国との国民の接触を絶やすことなく、頻繁に、増加する形で行っていくことを歓迎しますし、歓迎すべきだと思います。⑨しかしながら、皆さんは私に自分がとらえたままの形で事実を述べてほしいとお考えであると確信していますので、ここでヨーロッパの現状について、いくつかの事実をお話しすることが、私の義務だと思っています。

⑩バルト海のシュチェチンからアドリア海のトリエステに至るまで、大陸を横切って、鉄のカーテンが下ろされました。⑪その線の後ろには、中央・東ヨーロッパいにしえの国家の首都がすべて位置しています。

① Warsaw, Berlin, Prague, Vienna, Budapest, Belgrade, Bucharest and Sofia — all these famous cities and the populations around them lie in what I must call the Soviet sphere, and all are subject (支配下にある) in one form or another, not only to Soviet influence but to a very high and, in some cases, increasing measure of control from Moscow. ② Athens alone — Greece with its immortal glories — is free to decide its future at an election under British, American and French observation. ③ The Russian-dominated Polish Government has been encouraged to make enormous and wrongful inroads upon Germany, and mass expulsions of millions of Germans on a scale grievous and undreamed of are now taking place. ④ The Communist parties, which were very small in all these Eastern States of Europe, have been raised to preeminence and power far beyond their numbers and are seeking everywhere to obtain totalitarian control. ⑤ Police governments are prevailing (勝つ) in nearly every case, and so far, except in Czechoslovakia, there is no true democracy. ⑥ Turkey and Persia are both profoundly alarmed and disturbed at the claims which are being made upon them and at the pressure being exerted by the Moscow Government. ⑦ An attempt is being made by the Russians in Berlin to build up a quasi-Communist party in their zone of Occupied Germany by showing special favors to groups of left-wing German leaders.

①ワルシャワ、ベルリン、プラハ、ウィーン、ブダペスト、ベオグラード、ブカレスト、ソフィアといった名高い都市と、その周辺に暮らすすべての人々が、ソビエト圏と呼ぶべき場所に存在しており、どの都市も何らかの形でソビエトの影響下にあるだけではなく、その強大な支配下に置かれていますし、中にはその影響力が高まってきている場所もあります。②不朽の栄光を持つ国家ギリシャだけが、英米仏の監視の下、選挙で自由に自らの運命を決することができるのです。③ロシアの支配下にあるポーランド政府は、ドイツに対して途方もない規模で不正な侵攻を行うよう仕向けられており、嘆かわしく夢にも思わなかったような規模で、何百万人というドイツ人が集団で追放されています。④共産党は、こういった東欧諸国では小規模なものだったのですが、その規模にまったく釣り合わないほど突出した権力を持つようになっており、あらゆるところで全体主義的な統制を敷こうとしています。⑤ほとんどすべての場合において、警察政府が支配しており、これまでのところ、チェコスロバキアを除いては、真の民主主義は存在しません。⑥トルコとペルシャ両国は、モスクワ政府から突きつけられている要求と圧力に、大きな警戒心を抱き、動揺しています。⑦ベルリンに拠点を置くロシア人は、ドイツの左翼指導者を特別に優遇することで、占領下ドイツ内のソ連地区に準共産主義政党を設立しようとしています。

① At the end of the fighting last June, the American and British Armies withdrew westwards, in accordance with (～に従って) an earlier agreement, to a depth at some points of 150 miles upon a front of nearly 400 miles, in order to allow our Russian allies to occupy this vast expanse (広がり) of territory which the Western Democracies had conquered.

② If now the Soviet Government tries, by separate action, to build up a pro-Communist Germany in their areas, this will cause new serious difficulties in the American and British zones, and will give the defeated Germans the power of putting themselves up to auction between the Soviets and the Western Democracies. ③ Whatever conclusions may be drawn from these facts — and facts they are — this is certainly not the Liberated Europe we fought to build up. ④ Nor is it one which contains the essentials of permanent peace.

⑤ The safety of the world, ladies and gentlemen, requires a new unity in Europe, from which no nation should be permanently outcast (仲間はずれの). ⑥ It is from the quarrels of the strong parent races in Europe that the world wars we have witnessed, or which occurred in former times, have sprung. ⑦ Twice in our own lifetime we have seen the United States, against their wishes and their traditions, against arguments, the force of which it is impossible not to comprehend — twice we have seen them drawn by irresistible forces, into these wars in time to secure the victory of the good cause, but only after frightful slaughter and devastation had occurred.

①昨年６月の戦闘の終わりに、アメリカ軍とイギリス軍が、先の合意に従って、400マイル近い前線を場所によっては150マイルも撤退させ、わが同盟国の一員であるロシアが、西側民主主義国家が獲得したこの広大な領域一帯を占領できるようにしたわけです。

②今ソ連政府が別の行動を取り、その地区に親共産主義ドイツを建設しようとするのであれば、英米地区に新たに深刻な問題が引き起こされることになり、敗北したドイツがソ連と西側民主主義国家の間で、自らを競売にかけることになってしまうのです。③これが現実なのですが、その現実からどんな結論が導き出されるにしても、それは私たちが建設を目指して戦った解放ヨーロッパではありません。④恒久的な平和の本質的必要条件を含むものでもないのです。

⑤皆さん、世界平和のためには新たにヨーロッパが結束する必要があり、どんな国でもそこから永久追放されるべきではありません。⑥まさにヨーロッパの大国の不和から、私たちが目の当たりにした大戦や、かつての大戦が発生してきたわけです。⑦私たちは生涯で２回も、アメリカが自らの意思と伝統に反して、至極もっともな主張にも反論し、抵抗しがたい力によって、こういった戦争に引き込まれていくのを目にしています。アメリカは大義の勝利には貢献したものの、それもおぞましい殺りくや破壊が起こってしまった後のことでした。

① Twice the United States has had to send several millions of its young men across the Atlantic to find the war; but now war can find any nation, wherever it may dwell (存在する) between dusk and dawn. ② Surely we should work with conscious purpose for a grand pacification of Europe, within the structure of the United Nations and in accordance with our Charter. ③ That I feel is an open cause of policy of very great importance.

（中略）

④ From what I have seen of our Russian friends and Allies during the war, I am convinced that there is nothing they admire so much as strength, and there is nothing for which they have less respect than for weakness, especially military weakness. ⑤ For that reason the old doctrine of a balance of power is unsound. ⑥ We cannot afford (～をする余裕がある), if we can help it (～できる), to work on narrow margins, offering temptations to a trial of strength. ⑦ If the Western Democracies stand together in strict adherence to the principles of the United Nations Charter, their influence for furthering those principles will be immense and no one is likely to molest them. ⑧ If however they become divided or falter in their duty and if these all-important years are allowed to slip away (静かに去る) then indeed catastrophe may overwhelm us all.

⑨ Last time I saw it all coming and I cried aloud to my own fellow countrymen and to the world, but no one paid any attention.

①アメリカは二度も何百万もの若者を大西洋の向こうに送り込み、戦争を目の当たりにしなければならなかったのです。しかし今、黄昏(たそがれ)から夜明けのどこに位置していようとも、どんな国でも戦争に巻き込まれる可能性があります。②私たちは絶対に、ヨーロッパに壮大な平和をもたらすために、目的意識を持って、国際連合と私たちの憲章の枠組みの中で努力していくべきなのです。③それが重要極まりない率直な方針であると感じています。

（中略）

④私が戦争中にロシアの同志や同盟国を見てきた限り、彼らが何より賞賛するのは強靭さであり、何より蔑視するのが弱さ、特に軍事的脆弱さであると確信しています。⑤そのため、昔ながらの権力の均衡主義は不健全なものだと考えます。⑥避けられるのであれば、軍事力が僅差のままで、力試しをしてみようという気持ちを起こさせないようにすべきです。⑦西側民主主義国家が一致団結し、厳密に国連憲章の原則を順守していくのならば、そういった原則を強化する上での影響力は膨大なものとなり、誰にも邪魔することなどできなくなるでしょう。⑧しかし分裂したりたじろいだりして義務を果たせず、重要な年月をみすみす逃してしまうようなことがあれば、私たちは皆、大惨事に打ちのめされることになるでしょう。

⑨前回、私にはそういった大惨事がやってくるのが見え、声を大にして自国民や世界に対して叫んだのですが、誰も注目してくれませんでした。

① Up till the year 1933 or even 1935, Germany might have been saved from the awful fate which has overtaken her and we might all have been spared the miseries Hitler let loose upon mankind. ② There never was a war in all history easier to prevent by timely action than the one which has just desolated such great areas of the globe. ③ It could have been prevented in my belief without the firing of a single shot, and Germany might be powerful, prosperous and honored today; but no one would listen and one by one we were all sucked into the awful whirlpool. ④ We surely, ladies and gentlemen, I put it to you, surely we must not let that happen again. ⑤ This can only be achieved by reaching now, in 1946, a good understanding on all points with Russia under the general authority of the United Nations Organization and by the maintenance of that good understanding through many peaceful years, by the world instrument, supported by the whole strength of the English-speaking world and all its connections. ⑥ There is the solution which I respectfully offer to you in this Address to which I have given the title "The Sinews of Peace."

overtaken：取って代わる
spared：無しで済ます

⑦ Let no man underrate the abiding power of the British Empire and Commonwealth.

abiding：持続的な

① 1933年まで、ことによると1935年でさえも、ドイツを自国に降りかかった恐ろしい運命から救い、私たち全員をヒトラーが人類に解き放った苦難から救うことができたかもしれません。②時宜にかなった行動を起こしていれば、人類史上、地上のこれほどの領域を荒廃させた先の戦争ほど簡単に防げた戦争はなかったのです。③私は、一度も銃を発砲しなくても、あの戦争は防げただろうと考えていますし、戦争が防げていたら、現在のドイツは強力で、繁栄した、名誉ある国家になっていたかもしれません。しかし誰も耳を傾けようとせず、一国また一国と、私たちは皆、恐ろしい混乱の渦の中に引きずり込まれていきました。④当然ながら、皆さん、再度それを起こさせるようなことは絶対にあってはなりません。⑤唯一それを達成し得る方法は、今、1946年、国連の包括的権限の下でロシアとあらゆる面で十分理解し合い、その理解を何年もの平和な年月を通じて維持し、国際的な手段を駆使し、英語圏とその絆の強みで支えることです。⑥これが、「平和の腱（けん）」と題したこの演説で、私が皆さんに尊敬の念を込めて提示したい解決法です。

⑦大英帝国とイギリス連邦の揺るぎない権力を誰にも過小評価させてはなりません。

① Because you see the 46 millions in our island harassed about their food supply, of which they only grow one half, even in wartime, or because we have difficulty in restarting our industries and export trade after six years of passionate war effort, do not suppose that we shall not come through these dark years of privation as we have come through the glorious years of agony. ② Do not suppose that half a century from now, you will not see 70 or 80 millions of Britons spread about the world, united in defense of our traditions and our way of life, and of the world causes which you and we espouse. ③ If the population of the English-speaking Commonwealths be added to that of the United States with all that such co-operation implies in the air, on the sea, all over the globe and in science and in industry, and in moral force, there will be no quivering, precarious balance of power to offer its temptation to ambition or adventure. ④ On the contrary, there will be an overwhelming assurance (確信) of security. ⑤ If we adhere faithfully to the Charter of the United Nations and walk forward in sedate and sober strength seeking no one's land or treasure, seeking to lay no arbitrary control upon the thoughts of men; if all British moral and material forces and convictions are joined with your own in fraternal association, the high-roads of the future will be clear, not only for us but for all, not only for our time, but for a century to come.

①本土に暮らす4,600万人の英国国民が戦時中でさえ必要な食料の半分しか生産できない自国の食糧供給に悩んでいるのを目にしているからといって、あるいは、6年間、戦争に労力をつぎ込んだ結果産業や輸出の再開に苦労しているからといって、「これまで、苦悩の時代を名誉ある形で乗り越えてきた英国でも、この欠乏の暗い時代は乗り越えられないだろう」とは思わないでください。②「今後半世紀のうちに7,000万から8,000万のイギリス人が世界中に広がり、一致団結してわが国の伝統や生活様式、そして皆さんと私たちが共に信奉する世界の大義を守っていくことはできないだろう」と思ったりしないでください。③英語圏のイギリス連邦とアメリカの人口を加え、そういった協力関係が意味する世界中の空、海、科学、産業、そして道徳面の協力が得られるならば、権力の均衡が揺らいで不安定になり野望や冒険心をあおるようなことはないでしょう。④反対に、計り知れないほどの安全が確保されることになるのです。⑤私たちが忠実に国連憲章を順守し、落ち着いて冷静に力を発揮して前進し、誰の土地も財産も求めず、人間の思想を専制的に管理しようとすることがなければ、そしてイギリスの道徳的・物質的強みと信念とアメリカのそれを合わせ、兄弟関係を築いていくことができるのであれば、私たちにとってだけではなく、すべての人にとって、そして現代にとってだけではなく、来るべき世紀にとって、未来への本道が開けてくるでしょう。

ウィンストン・チャーチル「鉄のカーテン演説」の背景

background

▶アメリカの小さな大学で演説をした理由

ウィンストン・チャーチルが「鉄のカーテン演説」を行ったウェストミンスター・カレッジは、アメリカ中西部ミズーリ州のフルトンにある私立の小さな大学である。創立は1851年。2020年の大学公式サイトによれば、学生数は656人である。1979年に男女共学の大学になったが、ウィンストン・チャーチルが講演で訪れた1946年には、男子だけの大学だった。チャーチルがこの小さな大学からの講演依頼を引き受けたのは、当時アメリカの大統領だったハリー・トルーマンの存在が大きく関係していたと思われる。トルーマンはウェストミンスター・カレッジの卒業生ではなかったが、ミズーリ州は彼にとっての地元であった。チャーチルの旅行には、もちろんトルーマンが同行していた。

記録によれば、当時のフルトンの人口はおよそ7,000。演説の当日には大学のキャンパスにその6倍近い約4万人が集ったという。第2次世界大戦でのアメリカの盟友であったイギリスの宰相の顔を見、声を聴くために、これだけの人間が集ったのだ。いや、正確にいうならば、そのときのチャーチルは「宰相」ではなく「前宰相」であった。前年7月の選挙でチャーチルが率いる保守党は労働党に敗れ、クレメント・アトリーが首相になっていた。

▶退陣翌年のチャーチルの心境

チャーチルがその時点で、自分自身をなかば「過去の人間」と考えていたとしても不思議ではない。第2次世界大戦をともに戦い、胸襟を開く仲になっていたルーズベルトは1年前に世を去っており、後継の大統領として副大統領から昇格したトルーマンとは、わずか4カ月あまりの公的な付き合いしかなかった。今度は自分が選挙で敗れて退陣しなければならない境遇を迎えたからだ。本書では採録していないが、ウェストミンスター・カレッジでの演説の冒頭で、彼は面白いことを言っている。少し長いけれど、引用してみよう。

The name Westminster is somehow familiar to me. I seem to have heard of it before. Indeed it was at Westminster that I received a very large part of my education in politics, dialectic, rhetoric, and one or two other things. In fact, we have both been educated at the same or similar, or, at any rate, kindred establishments.

訳：ウェストミンスターという名前には、どうも親しみを感じます。どこかで聞いたことがあるような気がするのです。実は、ウェストミンスターというのは、私が政治の大部分、弁証法、話術、その他ひとつふたつのことを学んだところです。事実上、私たちはふたりとも、同じというか似ているというか、いずれにせよよく似た組織で教育を受けてきたわけです。

講演先の大学の名前であるウェストミンスターとイギリス議会の別称であるウェストミンスターとが同じなので、それを講演の導入部のいわゆる「つかみ」として使っているのだが、文章になったものをよく読むと、自分（チャーチル）とウェストミンスター（議会）との関係に触れたくだりがすべて過去形か現在完了形の表現になっていることが分かる。その頃チャーチルは、政治家としての自身の役割は終わったと考えていたふしがないわけではない。

▶演説の本当の表題

チャーチル自身はこの演説に「The Sinews of Peace」という標題をつけていた。「平和の腱（けん）」という意味だ。それが「The Iron Curtain」

として定着するようになったのは、演説後半の「From Stettin in the Baltic to Trieste in the Adriatic, an iron curtain has descended across the Continent.」という表現があまりにも具体的かつ衝撃的であったからにほかならない。鉄のカーテン（iron curtain）という表現そのものは、チャーチルが生前のルーズベルトに送った通信文の中などですでに何度か使われていたが、公開の場所での講演で使われるのは初めてだった。通信社や新聞社が講演の内容を打電し、「鉄のカーテン」は世界中の流行語になった。1949年に中華人民共和国が成立したのを受けて、「竹のカーテン」（bamboo curtain）という表現も生まれている。そしてチャーチル自身も冷戦時代に国際政治の舵（かじ）を取る当事者のひとりとして、イギリス首相の座に返り咲く。1951年のことだった。

葉巻とジンと絵筆をこよなく愛し、ユーモアを得意としたチャーチルは優れた文章家でもあり、1953年にはノーベル文学賞を受賞している。ただし成人するまでの学業成績はそこそこだった。パブリック・スクールのハロー校での成績はクラスの最下位、職業軍人を目指して入学したサンドハースト校は4回目の挑戦でやっと合格した。にもかかわらず、社会から落ちこぼれることがなかったのは、チャーチル家がイギリスの上流階級の一員であったことと、軍人時代のインドやエジプトを含めた海外勤務、そして新聞記者としての南アフリカでの経験のためであったという。

チャーチルはSの発音を苦手としていた。録音された声を注意して聴くとそのことが分かる。

12 アルベルト・アインシュタイン Albert Einstein

平和に関する講演（1945年12月10日）

1879年3月14日ドイツ生まれ。チューリッヒ工科大学卒。1902年、スイス特許局に就職。25歳のとき4つの重要な論文を発表。1909年に特許局を退職後、複数の大学教授を務め、1916年に一般相対性理論を発表。1922年、ノーベル物理学賞受賞。1933年、ナチスの迫害を逃れて渡米。プリンストン高等研究所などで研究生活を送る。

世界に与えたインパクト

1940年代に、原子爆弾の開発につながる研究を行っていたのはヨーロッパの科学者たちである。ユダヤ人であったがゆえにヨーロッパを追われた彼らの多くはアメリカに新天地を求め、アメリカ政府に協力して原子爆弾の開発・製造に従事する。そのひとりであったアインシュタインが1945年の暮れに行った晩さん会でのスピーチ。彼にとっての最大の誤算は、完成した原子爆弾がナチスドイツではなく、日本に対して使われたことだった。

①Physicists find themselves in a position not unlike that of Alfred Nobel himself. ②Alfred Nobel invented the most powerful explosive ever known up to his time — a means of destruction par excellence（ずば抜けて優れた）. ③In order to atone for（～の償いをする） this, in order to relieve his human conscience, he instituted his awards for the promotion of peace and for the achievement of peace.

④Today, the physicists who participated in forging the most formidable and dangerous weapon of all time（史上～の） are harassed by an equal feeling of responsibility, not to say（～というか） guilt. ⑤We cannot desist from（～をやめる） warning and warning again. ⑥We cannot and should not slacken in our efforts to make the nations of the world — and especially their governments — aware of the unspeakable disaster they are certain to provoke unless they change their attitude toward each other and toward the task of shaping the future.

⑦We helped in creating this new weapon in order to prevent the enemies of mankind from achieving it ahead of us — which, given the mentality of the Nazis, would have meant inconceivable destruction and the enslavement of the rest of the world. ⑧We delivered this weapon into the hands of the Americans and the British people as trustees of the whole of mankind, as fighters for peace and liberty.

⑨But so far we fail to see any guarantee of peace. ⑩We do not see any guarantee of the freedoms that were promised to the nations in the Atlantic Charter. ⑪The war is won, but the peace is not.

①物理学者というのは、気がついてみるとアルフレッド・ノーベル本人と同じような境遇に置かれているものです。②アルフレッド・ノーベルは、当時までに存在した最も強力な爆発物を発明しました。それはずば抜けて優秀な破壊手段でした。③そのことを償い、人としての良心の呵責（かしゃく）を和らげるため、彼は平和の促進と達成を目的とする賞を設立したのです。

④今日、史上最も恐ろしく最も危険な兵器の製造に参加した物理学者たちも、罪悪感とは言わないまでも、同様の責任感にさいなまれています。⑤私たちは、繰り返し警鐘を鳴らし続けなくてはなりません。⑥私たちは努力を怠ることなく世界各国、特にその政府に対して知らしめていかなくてはなりません。互いに対する態度や未来を形成する任務に対する態度を改めなければ、そのような兵器が必ず言語に絶するような大惨事を引き起こすことになるのだと。

⑦私たちがこの新兵器製造に貢献したのは、人類の敵に先を越されることがないようにするためでした。ナチスの精神構造を考えると、もしそのようなことになってしまっていたら、計り知れない破壊が引き起こされ、世界のほかの国の国民は奴隷化されてしまっていたでしょう。⑧私たちがこの兵器をアメリカとイギリスの国民のもとに送り届けたのは、彼らに全人類の受託者という役割、平和と自由の戦士としての役割を任せたからです。

⑨しかし、今のところ、平和の保障は何も見受けられません。⑩大西洋憲章が各国に約束したはずの自由は、保障されていません。⑪戦争には勝利したものの、平和を勝ち取ってはいないのです。

アルベルト・アインシュタイン「平和に関する講演」の背景

background

▶20代から光っていた才能

アルベルト・アインシュタインは1879年3月14日に、後にドイツの一部となるヴュルテンベルク王国の国民として生まれ、1955年4月18日に、アメリカ国民として死んだ。両親はユダヤ人であった。

アインシュタインが高等教育を受けたのはスイスのチューリッヒである。国立のチューリッヒ工科大学で数学と物理学を専攻し、卒業後はいったん首都ベルンにあったスイス政府特許局に職を得たが、結局は学問の道を進むことになる。1909年に母校の助教授になり、2年後の1911年にはプラハ大学の教授になった。プラハ大学にはわずか1年在籍しただけで、1912年には再びチューリッヒ工科大学へ教授として戻っている。ここにも2年しかおらず、1914年にはベルリンのカイザー・ウィルヘルム物理学研究所所長兼ベルリン大学教授として招かれ、20年後にアメリカに亡命するまでベルリンを拠点に研究活動を行った。アインシュタインの研究の中心は光の速さに着目したもので、光の速さを基準にして空間や時間を解釈し直した1905年の特殊相対性理論や、1916年の一般相対性理論は早くから世界の物理学界で注目されていた。

▶親日家だったアインシュタイン

スウェーデン科学アカデミーがアインシュタインを1921年のノーベル物理学賞の受賞者として決定し、発表したのは1922年の11月10日であり、そのときアインシュタインは香港から上海に向かう日本郵船の客船「北野丸」の船内にいた。日本の出版社である改造社の招待で、講演旅行で日本を訪れる途中であったからだ。3日後の11月13日に北野丸が神戸港に入港したときには、アインシュタインのノーベル賞受賞を知った人々が埠頭に詰めかけ、大歓迎になったと当時の新聞や雑誌は伝えている。アインシュタイン夫妻を日本に招待した改造社は「改造」という雑誌を発行しており、その雑誌にアインシュタインは日本の印象を連載で執筆する約束をしていた。

アインシュタインとエルザ夫人は、京都、東京、仙台、名古屋、京都、大阪、神戸、福岡と回り、この間、アインシュタインは各地で講演を行った。ノーベル賞受賞発表の直後ということもあって、講演会場のほとんどが聴衆で満員になった。余談だが、演題の「相対性理論」を「相対する性の理論」と誤解して講演会場へやってくる、うっかり者もいたというエピソードも残っている。なおノーベル賞受賞の対象になった研究は相対性理論ではなく、物質が光を吸収すると内部の電子が動き出すことをテーマにした、光電効果の理論である。夫妻は12月29日、門司港から「榛名丸」で日本を離れ、パレスチナに向かった。アインシュタインの人生においては、この頃が最も幸せなときであったようだ。

▶なぜ原爆製造を支持したのか

11年後の1933年、アインシュタイン夫妻はベルリンを捨ててイギリス経由でアメリカに亡命する。ヒトラーの台頭とユダヤ人たちに対する差別と迫害の動きが激しくなり始めたからだ。アメリカではプリンストン高等研究所が教授のポストを用意していた。それから1945年までの12年間、アインシュタインはプリンストンを拠点に研究活動を行う。

1914年に第1次世界大戦が勃発したときには反戦平和の立場を取っていたアインシュタインが、第2次世界大戦が始まるとアメリカの参戦を支持する立場に転じたのは、ヒトラーとナチスドイツの危険を十分に認識していたからだろう。1939年の11月には、物理学者のレオ・シラードら亡命ユダヤ人学者たちと連名で、原子爆弾の製造を勧告する書簡をルーズベルト大統領に送っている。マンハッタン計画の名前で知られることになる、アメリカの核開発の始まりである。戦後になってアインシュタインは日本のマスメディアからインタビューでこのことについて聞かれ、原子爆弾の製造に成功した場合の人類に対する危険は認識していたが、ナチスドイツが先に原子爆弾の開発に成功するかもしれないと考えて、ルーズベルト大統領へのあのような進言を行ったという趣旨の説明をしている。

1945年12月にアインシュタインがニューヨークで行った演説は、原子爆弾の開発と製造にいささかでもかかわった学者としての心の苦しさを吐露するものでもある。原子爆弾はドイツにではなく日本に対して使われた。それはアインシュタインが予期したことではなかったに違いない。1945年という年は、2度にわたって原子爆弾が使用された年であると同時に、アインシュタインにとってはプリンストンで過ごす、現役の研究者として最後の年でもあった。

10年後の1955年7月9日、ノーベル賞受賞者10人を含む世界の11人の学者が、核兵器の廃絶を求めるラッセル・アインシュタイン宣言を発表した。アインシュタインと哲学者のバートランド・ラッセル卿が中心になってまとめ上げた文書であった。しかし発表の席にアインシュタインはいなかった。約3カ月前の4月18日に世を去っていたからだ。

13 マハトマ・ガンジー Mahatma Gandhi

（英国よ）インドを立ち去れ演説（1942年8月8日）

1869年10月2日英領インド帝国生まれ。本名モハンダス・カラムチャンド・ガンジー。18歳で渡英し弁護士になる。1893年から22年間、南アフリカで弁護士として開業。帰国後、インド国民会議に加入し非暴力・不服従の独立運動を推進。宗教間の和解も訴えたが、インド独立の翌1948年、ヒンズー原理主義者により暗殺された。

世界に与えたインパクト

イギリスの植民地インドの中級公務員の息子として生まれたガンジーは、イギリスで弁護士になり、ゆくゆくはインド植民地に戻って中間管理職になることが期待されていた。その彼を反英独立闘争に走らせたのは、弁護士として南アフリカで体験した過酷な差別の実態だった。非暴力と非協力（不服従）を活動の柱とするガンジーは、政治的指導者というよりはむしろ精神的指導者として、人々の尊敬と支持を集め、クライマックスの演説に至る。

① Before you discuss the resolution, let me place before you one or two things. ② I want you to understand two things very clearly and to consider them from the same point of view from which I am placing them before you. ③ I ask you to consider it from my point of view, because if you approve of it, you will be enjoined to carry out (実行する) all I say. ④ It will be a great responsibility. ⑤ There are people who ask me whether I am the same man that I was in 1920, or whether there has been any change in me. ⑥ You are right in asking that question.

⑦ Let me, however, hasten to assure that I am the same Gandhi as I was in 1920. ⑧ I have not changed in any fundamental respect. ⑨ I attach the same importance to non-violence that I did then. ⑩ If at all (仮にそうであるとしても), my emphasis on it has grown stronger. ⑪ There is no real contradiction between the present resolution and my previous writings and utterances.

⑫ Occasions like the present do not occur in everybody's and but rarely in anybody's life. ⑬ I want you to know and feel that there is nothing but purest Ahimsa in all that I am saying and doing today. ⑭ The draft resolution of the Working Committee is based on Ahimsa; the contemplated struggle similarly has its roots in Ahimsa. ⑮ If, therefore, there is any among you who has lost faith in Ahimsa or is wearied of it, let him not vote for this resolution.

⑯ Let me explain my position clearly. ⑰ God has vouchsafed to me a priceless gift in the weapon of Ahimsa. ⑱ I and my Ahimsa are on our trail today.

①決議について話し合う前に、皆さんにいくつか提起したいことがあります。②皆さんに明確に理解していただきたいことが２つあるのですが、それについて、私が提起するのと同じ観点から考えていただきたいのです。③私の観点から考えていただくようにお願いするのは、もし承認していただけるのであれば、私がお話しすることをすべて実施するよう要求されることになるからです。④それは大きな責任となるでしょう。⑤私が 1920 年当時の私と同じ人間なのかどうか、あるいは私の中で何か変化が起こったのか尋ねてくる人がいます。⑥そういった疑問を抱かれるのも、もっともなことではあります。

⑦しかし、早速ながら断言させていただきますと、私は確かに 1920 年当時と同じガンジーです。⑧根本的な面では変わっていません。⑨当時と同様に、非暴力に重きを置いています。⑩もし変わったとするならば、非暴力に対する気持ちがいっそう強固なものになったということです。⑪現在の決議と、私が以前に記したり発言したりしたものの間に真の矛盾はありません。

⑫現在のような出来事は、万人の生涯に起こるものではありませんし、誰の生涯であっても滅多に起こるものではありません。⑬皆さんには、私が今日発言し、行っていることが、すべて純粋なアヒンサー（ガンジーが中心的な思想として掲げた「不殺生」）以外の何物でもないことを知り、感じていただきたいと思います。⑭（インド会議派の）運営委員会の決議案はアヒンサーに基づいたものですし、予期されていたこの奮闘も同様にアヒンサーに根ざしたものなのです。⑮ですから、もし皆さんの中にアヒンサーを信じる気持ちを失っている人や、アヒンサーにうんざりしている人がいるならば、そういった人にはこの決議案に賛成の票を投じさせてはなりません。

⑯私の立場を明確に説明させてください。⑰神は私にアヒンサーという貴重な武器を授けてくださいました。⑱私とそのアヒンサーが今日私たちの後を追っています。

① If in the present crisis, when the earth is being scorched (焦がす) by the flames of Himsa and crying for deliverance, I failed to make use of (～を活用する) the God given talent, God will not forgive me and I shall be judged un-wrongly of the great gift. ② I must act now. ③ I may not hesitate and merely look on (知らん顔をする), when Russia and China are threatened.

④ Ours is not a drive for power, but purely a non-violent fight for India's independence. ⑤ In a violent struggle, a successful general has been often known to effect a military coup and to set up a dictatorship. ⑥ But under the Congress scheme of things (あり方), essentially non-violent as it is, there can be no room for dictatorship. ⑦ A non-violent soldier of freedom will covet nothing for himself, he fights only for the freedom of his country. ⑧ The Congress is unconcerned as to who will rule, when freedom is attained. ⑨ The power, when it comes, will belong to the people of India, and it will be for them to decide to whom it placed in the entrusted. ⑩ May be that the reins (支配権) will be placed in the hands of the Parsis, for instance — as I would love to see happen — or they may be handed to some others whose names are not heard in the Congress today. ⑪ It will not be for you then to object saying, "This community is microscopic. That party did not play its due part in the freedom's struggle; why should it have all the power?" ⑫ Ever since its inception the Congress has kept itself meticulously free of the communal taint (汚染). ⑬ It has thought always in terms of the whole nation and has acted accordingly....

①世界がヒンサー（殺生）の炎に包まれ、強く救出を求めている現在の危機の中、もしその天与の才を活用しないようなことがあれば、神は私をお許しにはならず、その偉大な才能に関してしかるべき判断が下されてしまうことになるのです。②私は今、行動を起こさなければなりません。③中国やロシアが脅威にさらされている中、ためらって傍観するだけでは許されないのです。

④私たちの戦いは権力を求めるものではなく、純粋にインド独立を求める非暴力的な戦いです。⑤暴力的な闘争では、成功を収めた将軍が軍事クーデターを引き起こし、独裁政権を樹立することがよく知られています。⑥しかし、本質的に非暴力的な国民会議に独裁の余地はありません。⑦非暴力的な自由の兵士は何の見返りも求めません。自国の自由を求めて戦うのみなのです。⑧国民会議は、自由が得られた際に誰が支配することになるのかということには関心を払っていません。⑨権力というのは、実際に手にすれば、インド国民に属することになり、誰にそれを委ねるのか決断するのはインド国民なのです。⑩例えば権力は、パールシー（8世紀にペルシアからインドに逃れたゾロアスター教徒の子孫からなる少数派の民族）の手に委ねられることになるかもしれません。実現するのを目の当たりにしたいものです。あるいは現在は会議で耳にしない名の者に託されることになるかもしれません。⑪そうなったときには、皆さんは「この民族はごく少数派に過ぎない。あの党は自由を求めて奮闘する中で果たすべき役割を果たさなかったのに、なぜすべての権力を握るべきなのか」などと反論するべきではないのです。⑫誕生以来、国民会議は、細心の注意を払って、共同体間に争いがない状態を維持してきました。⑬常に国家全体の観点から考え、それに従って行動してきたのです。

①I know how imperfect our Ahimsa is and how far away we are still from the ideal, but in Ahimsa there is no final failure or defeat. ②I have faith, therefore, that if, in spite of our shortcomings, the big thing does happen, it will be because God wanted to help us by crowning (栄誉を与える) with success our silent, unremitting Sadhana for the last 22 years.

③I believe that in the history of the world, there has not been a more genuinely democratic struggle for freedom than ours. ④ I read Carlyle's *French Revolution* while I was in prison, and Pandit Jawaharlal has told me something about the Russian revolution. ⑤But it is my conviction that inasmuch as (～なので) these struggles were fought with the weapon of violence, they failed to realize the democratic ideal. ⑥In the democracy which I have envisaged, a democracy established by non-violence, there will be equal freedom for all. ⑦Everybody will be his own master. ⑧It is to join a struggle for such democracy that I invite you today. ⑨Once you realize this you will forget the differences between the Hindus and Muslims, and think of yourselves as Indians only, engaged in the common struggle for independence.

⑩Then, there is the question of your attitude towards the British. ⑪I have noticed that there is hatred towards the British among the people. ⑫The people say they are disgusted with their behavior. ⑬The people make no distinction between British imperialism and the British people. ⑭To them, the two are one.

①私たちのアヒンサーがいかに不完全なものなのか、そして理想的な姿からまだどれほどかけ離れているのかは分かってはいますが、アヒンサーには最終的な失敗や敗北といったものは存在しないのです。②ですから私は信じています、もし私たちが欠点を持っているにもかかわらず大成功を収めることになれば、それは私たちが静かに絶えることなく過去22年間にわたってサードハナ（苦行）を行ってきたことに対して、神が成功という報酬を授けてくださることで、私たちを支援することを望んでいらしたからだということを。

③世界の歴史上、私たちのもの以上に純粋な民主的な戦いは存在しないと思います。④私は獄中でカーライル（スコットランドの歴史家）の『フランス革命』を読み、パンディット・ジャワハルラル（インド独立後の初代首相ネルー）からロシア革命について聞きました。⑤しかし、私が確信しているのは、暴力という武器を用いて戦った以上、彼らは民主主義の理念は実現できていなかったということです。⑥私が思い描いてきた民主主義とは非暴力的な民主主義であり、そこでは万人に平等な自由が与えられます。⑦誰もが自分のことは自分で決めていくのです。⑧私が今日皆さんに促しているのは、そういった民主主義を求める戦いに加わることです。⑨ひとたびこのことを認識すれば、ヒンズー教徒とイスラム教徒の違いは忘れ、自らをただただインド人と見なし、独立を求める共通の戦いに従事していくことになるでしょう。

⑩さらに、英国人に対する態度の問題があります。⑪私は、国民の間に英国人への憎しみが存在することに気づきました。⑫英国人たちの行動が不愉快だというのです。⑬そういった人は、英国帝国主義と英国国民を区分けしていません。⑭両者をひとくくりにしてしまっています。

① This hatred would even make them welcome the Japanese. ② It is most dangerous. ③ It means that they will exchange one slavery for another. ④ We must get rid of this feeling. ⑤ Our quarrel is not with the British people, we fight their imperialism. ⑥ The proposal for the withdrawal of British power did not come out of anger. ⑦ It came to enable India to play its due part at the present critical juncture. ⑧ It is not a happy position for a big country like India to be merely helping with money and material obtained willy-nilly from her while the United Nations are conducting the war. ⑨ We cannot evoke the true spirit of sacrifice and valor, so long as we are not free. ⑩ I know the British Government will not be able to withhold freedom from us, when we have made enough self-sacrifice. ⑪ We must, therefore, purge ourselves of hatred. ⑫ Speaking for myself, I can say that I have never felt any hatred. ⑬ As a matter of fact, I feel myself to be a greater friend of the British now than ever before. ⑭ One reason is that they are today in distress. ⑮ My very friendship, therefore, demands that I should try to save them from their mistakes. ⑯ As I view the situation, they are on the brink of an abyss. ⑰ It, therefore, becomes my duty to warn them of their danger even though it may, for the time being (当面は), anger them to the point of cutting off the friendly hand that is stretched out to help them. ⑱ People may laugh, nevertheless that is my claim. ⑲ At a time when I may have to launch the biggest struggle of my life, I may not harbor hatred against anybody.

①このような憎しみがあると、日本人を受け入れようとさえしてしまいます。②最も危険なことです。③ある種の奴隷制度を別の奴隷制度と交換することになってしまうのですから。④そういった感情は、排除しなければなりません。⑤私たちの戦う相手は英国人ではなく、英国帝国主義なのです。⑥英国権力にインドから撤退するよう求める提案は、怒りから生じたものではありません。⑦インドが現在の重大な危機において、果たすべき役割を果たせるようにするために出てきたものなのです。⑧連合国が戦争を行う中で、無計画に集めた資金と物資で支援するだけの状態は、インドのような大国にとってふさわしいものではありません。⑨自由でない限り、真の犠牲心や勇気を喚起することなどできないのです。⑩私たちが十分に自己犠牲を払ったなら、英国政府には私たちに自由を与えないわけにはいかなくなると分かっています。⑪ですから、私たちは憎しみを排除する必要があるのです。⑫私自身に関して言えば、憎しみを覚えたことは一切ありません。⑬実のところ、今はこれまでになく英国人に対して大きな友情を感じています。⑭その理由のひとつは、現在、彼らが窮地に陥っているということです。⑮そのため、まさにその友情をもって、英国人を過ちから救うことが求められているのです。⑯現状を見てみると、彼らは奈落の底に落ちる寸前です。⑰従って、たとえ英国人が一時的に憤慨し、差し伸べた友好の手を断ち切られるようなことになったとしても、その危険な状況について警告するのが私の責務なのです。⑱一笑に付されるかもしれませんが、それが私の主張です。⑲人生最大の戦いを始めなければならないかもしれない今、誰に対しても憎しみを抱くことは許されないのです。

マハトマ・ガンジー
「(英国よ)インドを立ち去れ演説」の背景

background

▶民族独立の気運高まるアジア

幕末の開国から「脱亜入欧」のかけ声のもと、短期間のうちに科学、技術、産業、国防力を欧米の水準にまで引き上げた日本は、植民地アジアの羨望の的となった。ヨーロッパの宗主国から脱したいと願う植民地の民族主義指導者たちは、あるときはあからさまに、またあるときは密かに日本と接触し、民族独立への道筋を探っていた。また日本側も軍部を中心に、アジアの植民地での「民族解放闘争」を支援していた。当時、イギリスの植民地であったインドも、例外ではありえなかった。反植民地闘争への支援と、将来の「独立」の約束は、民族自決の理想を追い求める若者たちにとっては無視しがたい魅力であるような、そんな時代があった。

しかし、イギリスの植民地経営の手法は、そうした外部からの介入を許すほど脆弱なものではない。植民地で有為な人材を発掘しては、イギリスで教育をほどこし、植民地に戻した後は中間管理職として植民地経営のメカニズムに取り込むというのが、基本的な構図だった。モハンダス・カラムチャンド・ガンジーの場合は、強烈な個性と信念を持つ有為な若者を、宗主国の人間が扱い損ねたひとつの例だといえよう。

▶不服従思想を生んだ南アフリカ暮らし

後に詩聖タゴールによってマハトマ（サンスクリット語で「偉大な魂」の意味）と呼ばれ、それが定着するようになるガンジーは、1869年にインド植民地の官僚の息子として、グジャラート地方のポルバンダルという港町で生を受けた。同じような境遇の若者がそうであったように、ガンジーは若くしてロンドンに送られ、ユニバーシティー・カレッジで法律を勉強することになる。ガンジーが植民地から来たほかの若者たちと大きく違っていたことのひとつは、彼が厳格な菜食主義者であったということだ。今でこそ菜食主義は珍しいことではないが、当時はそうではなく、ガンジーは周囲のイギリス人たちから好奇と不審の目で見られたという。

弁護士となったガンジーが、イギリスにとどまるのでもなくインドに戻るのでもなく、イギリスの植民地であった南アフリカで職を得たことも、その後の歴史におけるガンジーの立場と役割を決定づけることになった。なぜならば、ガンジーは南アフリカで徹底した差別を体験し、その差別に立ち向かう手段は、これまた徹底的な不服従しかないことを、信念として持つに至ったからである。

▶演説が与えた衝撃とその余波

初めは南アフリカで展開していた不服従運動の拠点を、ガンジーがインドに移したのは、当然のことだった。南アフリカにいた頃に結成したインド国民会議を活動の母体にしながら、ガンジーは非暴力と非協力の抵抗活動を拡大していく。差別に対する抵抗から始まった国民会議の運動は、やがて政治的なものに発展し、植民地支配からの独立の要求へと結びついていく。その集大成となったのが、1942年8月8日の国民会議によるQuit India（インドを立ち去れ）決議の採択である。8月8日の採択に先立つ7月14日、同じ国民会議はインドのイギリスからの完全独立を求める決議を採択していた。8月8日の決議は、7月14日の決議を受けたもので、ガンジーが行った演説も、そうしたことを踏まえてのものであった。

7月14日と8月8日の決議と、8月8日のガンジーの演説が、宗主国イギリスにとってどれだけ衝撃的なものであったのかは、8月9日以降、イギリス官憲が国民会議のメンバーを次々に逮捕していったことを見ても分かる。ガンジーは演説をした翌日の8月9日にボンベイ（現在のムンバイ）で、またほかのメンバーたちも、それぞれの活動拠点で逮捕されていった。逮捕者の数は10万に上ったとされている。しかしこの一斉大量逮捕が、後のインドの独立を決定的なものにした。

ガンジーは2年間、牢につながれた後、釈放された。服役中に断食をするなどして健康を損ねており、また手術も必要だった。それから3年後の1947年8月15日に、旧インド植民地はインドとパキスタンに分かれて、それぞれ独立する。ガンジーは最後まで統一国家としての独立を主張し、より現実的なジャワハルラル・ネルーがインドの初代大統領に就任した。それから半年ほど後に、ガンジーは暗殺者の凶弾に倒れる。

ガンジーはノーベル平和賞の候補に推されたが、固辞してそれを受けなかった。しかしガンジーの非暴力と不服従主義を踏襲した人物がふたり、後になってノーベル平和賞を受賞する。アメリカのマーティン・ルーサー・キング牧師と、南アフリカのネルソン・マンデラ元大統領だ。

14 フランクリン・デラノ・ルーズベルト大統領
Franklin Delano Roosevelt

就任演説（1933年3月4日）

1882年1月30日アメリカ・ニューヨーク州生まれ。コロンビア大学法科大学院卒。法律事務所勤務を経て、民主党ニューヨーク州議会上院議員、海軍次官、ニューヨーク州知事を務める。1933年から1945年まで大統領としてニューディール政策を推進し、第2次世界大戦で連合国を勝利に導く。米国史上唯一の4選を果たした大統領。

世界に与えたインパクト

100年に一度といわれる2008年秋に始まった世界的な経済危機に直面した世界の指導者たちが、最も注目した過去の指導者のひとりがFDRである。経済危機の時代に大統領に就任し、そのまま世界大戦に突入し、結局4期にわたってその地位にとどまったFDRに対しては、「政府を肥大化させた大統領」というものを含めて批判があるのも事実だ。就任演説の細かい言い回しに最後まで気をつかった様子も、テキストと照らし合わせて演説を聴くと分かる。

President Hoover, Mr. Chief Justice, my friends:

① This is a day of national consecration. ② And I am certain that on this day my fellow Americans expect that on my induction into the Presidency I will address them with a candor and a decision which the present situation of our people impels.

③ This is preeminently (顕著に) the time to speak the truth, the whole truth, frankly and boldly. ④ Nor need we shrink from (しり込みする) honestly facing conditions in our country today. ⑤ This great nation will endure, as it has endured, will revive and will prosper.

⑥ So, first of all, let me assert my firm belief that the only thing we have to fear is fear itself — nameless, unreasoning, unjustified terror which paralyzes needed efforts to convert retreat into advance. ⑦ In every dark hour of our national life, a leadership of frankness and of vigor has met with that understanding and support of the people themselves which is essential to victory. ⑧ And I am convinced that you will again give that support to leadership in these critical days.

⑨ In such a spirit on my part and on yours we face our common difficulties. ⑩ They concern, thank God, only material things. ⑪ Values have shrunk to fantastic levels; taxes have risen, our ability to pay has fallen; government of all kinds is faced by serious curtailment of income; the means of exchange are frozen in the currents of trade; the withered leaves of industrial enterprise lie on every side; farmers find no markets for their produce; and the savings of many years in thousands of families are gone.

フーバー大統領、最高裁長官、友人の皆さん。

①今日はアメリカ奉献の日です。②私は確信しています、今日国民の皆さんが大統領に就任する私に、国民の現状が必要とする率直さと決意をもって話すことを期待していると。

③今はまさに、率直かつ大胆に、真実を包み隠さず語るべき時です。④そしてまた、わが国が現在置かれている状況に、しり込みすることなく率直に向き合っていく必要があります。⑤この偉大な国家は、これまでのように存続し、復活し、繁栄していくのです。

⑥従ってまずは、恐れるべきものは恐怖そのもののみであるという、私の信念をはっきりと述べておきたいと思います。恐怖とは、言葉で表現しがたく、理不尽で、不当な恐れであり、後退を前進へと変えるために必要な努力を麻痺させてしまうものです。⑦これまで国民生活が苦境にさらされるたびに、政府は率直かつ精力的に指導力を発揮し、それに対して国民が理解と支持を示してきましたが、勝利にはそういった理解と支持が必要不可欠なのです。⑧そして、この大事な時期に、皆さんが再び政府に力を貸してくれることを私は確信しています。

⑨私と皆さんが、そういった精神をもって共通の問題に直面していくのです。⑩ありがたいことに、そういった問題は物質的な側面に限られています。⑪物の価値は途方もなく暴落し、税金は上がり、私たちの支払い能力は低下し、あらゆる政府機関が深刻な歳入削減に直面し、金融システムは取引の流れの中で凍結し、産業企業は枯葉が散るようにあちこちで倒産に追い込まれ、農家は作物の市場を見つけられず、幾多の家族が長年にわたって蓄えてきた貯金もなくなってしまいました。

① More important, a host of unemployed citizens face the grim problem of existence, and an equally great number toil with little return. ② Only a foolish optimist can deny the dark realities of the moment.

③ And yet our distress comes from no failure of substance. ④ We are stricken by no plague of locusts. ⑤ Compared with the perils which our forefathers conquered, because they believed and were not afraid, we have still much to be thankful for. ⑥ Nature still offers her bounty and human efforts have multiplied it. ⑦ Plenty is at our doorstep (目の前にある), but a generous use of it languishes (衰える) in the very sight of the supply.

⑧ Primarily, this is because the rulers of the exchange of mankind's goods have failed, through their own stubbornness and their own incompetence, have admitted their failure and have abdicated. ⑨ Practices of the unscrupulous money changers stand indicted in the court of public opinion, rejected by the hearts and minds of men.

⑩ True, they have tried. ⑪ But their efforts have been cast in the pattern of an outworn tradition. ⑫ Faced by failure of credit, they have proposed only the lending of more money. ⑬ Stripped of the lure of profit by which to induce our people to follow their false leadership, they have resorted to exhortations, pleading tearfully for restored confidence. ⑭ They only know the rules of a generation of self-seekers. ⑮ They have no vision, and when there is no vision the people perish.

①さらに重要な問題は、多くの失業者が生存すらおぼつかない厳しい状態に陥ってしまっており、同じくらい多くの人が、ほとんど見返りのないまま長時間労働を強いられていることです。②能天気な楽観主義者でなければ、現在の苦しい現実を否定することなどできないでしょう。

③それでもなお、私たちが窮状に追い込まれているのは、本質が機能不全に陥ったからではありません。④イナゴの大群（旧約聖書で神がエジプト人を罰するために送ったとされる）の被害を受けているわけではないのです。⑤私たちの祖先は信じることと恐れないことで苦難を乗り越えてきたわけですが、それと比較すれば、私たちにはまだ感謝すべきものが多々あります。⑥自然は依然として恩恵を施してくれますし、努力を重ねることで人間はさらに収穫を増やしてきました。⑦私たちの手元にはたくさんのものがあるのですが、供給そのものを見ると、心おきなくその恩恵にあずかろうという気がなくなってしまうのです。

⑧その主な原因は、財貨の取引を支配してきた者たちが、自らの頑固さと無能さゆえに失敗を犯し、それを認めて職務を放棄してしまったことです。⑨無節操な銀行家が働いてきた悪事は、世論という名の裁判所で断罪され、一般市民の心に拒絶されています。

⑩確かにそういった銀行家も努力をしてはきました。⑪しかしそれは時代錯誤な伝統に固執する中で行われたものに過ぎません。⑫債務不履行に陥っても、さらに融資を提案しただけなのですから。⑬国民を偽って従わせるための、利益というえさがなくなると、そういった銀行家は情熱的な言葉に訴え、涙ながらに信頼回復を求めました。⑭利己主義的な世代の習慣しか身についていないのです。⑮そういった銀行家には洞察力がなく、洞察力がなければ国民は滅びてしまいます。

① Yes, the money changers have fled from their high seats in the temple of our civilization. ② We may now restore that temple to the ancient truths. ③ The measure of that restoration lies in the extent to which we apply social values more noble than mere monetary profit.

④ Happiness lies not in the mere possession of money; it lies in the joy of achievement, in the thrill of creative effort. ⑤ The joy, the moral stimulation of work no longer must be forgotten in the mad chase of evanescent profits. ⑥ These dark days, my friends, will be worth all they cost us if they teach us that our true destiny is not to be ministered unto but to minister to ourselves, to our fellow men.

⑦ Recognition of that falsity of material wealth as the standard of success goes hand in hand (切り離して考えることはできない) with the abandonment of the false belief that public office and high political position are to be valued only by the standards of pride of place and personal profit; ⑧ and there must be an end to a conduct in banking and in business which too often has given to a sacred trust the likeness (似ていること) of callous and selfish wrongdoing. ⑨ Small wonder that confidence languishes, for it thrives only on honesty, on honor, on the sacredness of obligations, on faithful protection, and on unselfish performance; without them it cannot live.

⑩ Restoration calls, however, not for changes in ethics alone. This nation is asking for action, and action now.

⑪ Our greatest primary task is to put people to work.

①そう、文明という神殿の高座に陣取っていた銀行家たちは逃げ去りました。②私たちはその神殿を昔から伝わる真の姿に回復させなくてはなりません。③その回復の程度は、私たちが単なる金銭的な利益以上に崇高な社会的価値観をどこまで適用するのかで決まってきます。

④幸福というのは単に金を持つことにあるものではなく、達成感、創造の努力から感じられる興奮の中にあるものです。⑤刹那（せつな）の利益を狂信的に追うあまり、勤労の喜びと興奮を忘れるようなまねは、もはやしてはなりません。⑥皆さん、他人の世話になることではなく、自立して同胞に救いの手を差し伸べていくことこそが私たちの運命なのだと悟れば、今、失意の日々の中で代償を支払うことになっても、すべて報われるのです。

⑦物質的な富を成功の基準と見なすのは誤りだと認めるには、官公庁や政府高官の職は地位を鼻にかけ私欲を満たすためのものでしかないという思い込みを捨て去ることが必要不可欠です。⑧また、銀行や企業では、神聖な信頼を無情で利己的な悪行をもって扱うような行為がまかり通ってきましたが、そういった行為に終止符を打たなければなりません。⑨信頼というのは、誠実さ、名誉、義務の神聖さ、忠実な保護、利他的な行いを基に醸成するものです。信頼が弱まってしまうのもさほど驚くべきことではありません。そういった基礎がなければ、信頼は失われてしまうものなのです。

⑩しかし、復興を遂げるには、倫理面以外にも変化が必要です。この国には、行動を起こすこと、それも今すぐに起こすことが必要なのです。

⑪私たちの最優先事項は、人々に職を与えることです。

① This is no unsolvable problem if we face it wisely and courageously. ② It can be accomplished in part by direct recruiting by the government itself, treating the task as we would treat the emergency of a war, but at the same time, through this employment, accomplishing greatly needed projects to stimulate and reorganize the use of our great natural resources.

③ Hand in hand with that we must frankly recognize the overbalance of population in our industrial centers and, by engaging on a national scale in a redistribution, endeavor to provide a better use of the land for those best fitted for the land.

④ Yes, the task can be helped by definite efforts to raise the values of agricultural products and with this the power to purchase the output of our cities. ⑤ It can be helped by preventing realistically the tragedy of the growing loss, through foreclosure, of our small homes and our farms. ⑥ It can be helped by insistence that the Federal, the State, and the local governments act forthwith on the demand that their cost be drastically reduced. ⑦ It can be helped by the unifying of relief activities, which today are often scattered, uneconomical, unequal. ⑧ It can be helped by national planning for and supervision of all forms of transportation and of communications and other utilities that have a definitely public character. ⑨ There are many ways in which it can be helped, but it can never be helped by merely talking about it.

⑩ We must act. We must act quickly.

① これは、賢明に勇気を持って取り組めば、解決できない問題ではありません。②この問題の対策のひとつとして挙げられるのが政府による直接雇用ですが、戦争という緊急事態に対処するかのように取り組みながらも、同時にこの雇用を通じて大いに必要とされる事業を達成し、わが国の豊富な天然資源の使用を刺激し回復させていくのです。

③それと相まって、私たちは工業中心地に人口が偏ってしまっていることを率直に認めなければなりません。そして全国規模で再分配を行うことで、土地に最も適した人材がその土地をさらに有効活用できるように努力していく必要があります。

④そう、農作物の価値を高め、それにともない都市の生産物の購入能力を高めるための的確な努力をすれば、この課題に貢献することができるのです。⑤一般住宅や農場が差し押さえを受け、どんどん失われていますが、この悲劇を現実的に防げば、貢献できるのです。⑥経費の抜本的な削減の要求に対し、連邦政府、州政府、地方政府が迅速に行動するよう主張すれば、貢献できるのです。⑦現在分散し、非経済的で不平等なものになってしまっていることの多い救済活動を統一すれば、貢献できるのです。⑧各種交通・通信をはじめとする絶対的に公共性の高い設備を全国規模で立案し監視していけば、貢献できるのです。⑨いろいろな方法で貢献することができますが、議論するだけでは何の手助けにもなりません。

⑩行動しなくてはならないのです。迅速に行動する必要があるのです。

① And finally, in our progress towards a resumption of work we require two safeguards against a return of the evils of the old order. ② There must be a strict supervision of all banking and credits and investments. ③ There must be an end to speculation with other people's money. ④ And there must be provision for an adequate but sound currency.

⑤ These, my friends, are the lines of attack. ⑥ I shall presently urge upon a new Congress in special session detailed measures for their fulfillment, and I shall seek the immediate assistance of the 48 States.

⑦ Through this program of action we address ourselves to (～に専念する) putting our own national house in order and making income balance outgo. ⑧ Our international trade relations, though vastly important, are in point of time, and necessity, secondary to the establishment of a sound national economy. ⑨ I favor, as a practical policy, the putting of first things first. ⑩ I shall spare no effort to restore world trade by international economic readjustment; but the emergency at home cannot wait on that accomplishment.

⑪ The basic thought that guides these specific means of national recovery is not narrowly nationalistic. ⑫ It is the insistence, as a first consideration, upon the interdependence of the various elements in and parts of the United States of America — a recognition of the old and permanently important manifestation of the American spirit of the pioneer. ⑬ It is the way to recovery. ⑭ It is the immediate way.

①最後に、仕事の再開に向けて前進していく中で、旧体制の悪弊が復活することがないようにしていくために、２つの防御策が必要です。②銀行業、信用供与、投資のすべてに対して、厳しく監視の目を光らせなければなりません。③他者の金を使った投機に終止符を打たなくてはなりません。④そして適切ながら堅実な通貨への対策を講じていかなくてはなりません。

⑤皆さん、これが攻撃の最前線です。⑥私はただちに新たな連邦議会の臨時議会に対して、それを達成するための詳細な対策を力説し、全48州に対して迅速な援助を求めます。

⑦この行動計画を通じて、私たちは財政政策の見直しを行い、収入と支出の均衡を図ることに専念します。⑧国際貿易関係は非常に重要ではありますが、時間と必要性の観点から見ると、健全な国内経済の確立をまず優先すべきです。⑨私は実際的な方針として、優先すべきことを優先したいと思います。⑩立て直し、世界貿易を復活させる努力は惜しみませんが、それを国家の緊急事態よりも優先するわけにはいかないのです。

⑪これらの具体的な国家復興策の基本的指針となっているのは、偏狭な国家主義ではありません。⑫まず何よりも、アメリカ合衆国を構成するさまざまな要素の相互依存性を強調することであり、伝統的かつ不朽のアメリカの開拓者精神を認識することなのです。⑬それが回復の方法です。⑭それが迅速な方法なのです。

① It is the strongest assurance that recovery will endure.

② In the field of world policy, I would dedicate this nation to the policy of the good neighbor: the neighbor who resolutely respects himself and, because he does so, respects the rights of others; the neighbor who respects his obligations and respects the sanctity of his agreements in and with a world of neighbors.

③ If I read the temper of our people correctly, we now realize, as we have never realized before, our interdependence on each other; that we cannot merely take, but we must give as well; that if we are to go forward, we must move as a trained and loyal army willing to sacrifice for the good of a common discipline, because without such discipline no progress can be made, no leadership becomes effective.

④ We are, I know, ready and willing to submit our lives and our property to such discipline, because it makes possible a leadership which aims at the larger good. ⑤ This, I propose to offer, pledging that the larger purposes will bind upon us, bind upon us all as a sacred obligation with a unity of duty hitherto evoked only in times of armed strife.

⑥ With this pledge taken, I assume unhesitatingly the leadership of this great army of our people dedicated to a disciplined attack upon our common problems.

⑦ Action in this image, action to this end is feasible under the form of government which we have inherited from our ancestors.

①それが回復の持続を何より強固に保証してくれるのです。

②外交の分野では、アメリカは善き隣人として振る舞うことに献身します。自らを尊重するからこそ、他者の権利を尊重していく隣人、自らに課せられた義務を尊重し、世界の隣人たちと交わした合意の神聖さを尊重する隣人です。

③私が国民感情を正しく読み取れているとするならば、私たちはこれまでにないほど、互いに依存し合っていることを強く認識しています。人から得るだけではなく、人に与えなければならないということ。規律なくして進歩はなく、効果的に指導力を発揮することもできないため、前進しようとするのであれば、私たちは共通の規律のために犠牲を払うことをいとわないよく訓練された忠実な軍隊として行動しなくてはならないということ。

④私には分かっています、わが国にはそういった規律に対して命と財産を進んで差し出す用意があるということが。そうすることでさらに大きな国益を目指して指導力を発揮できるようになるからです。⑤私はそのような指導力を発揮しています。より大きな目的が神聖な義務となって私たちが団結していく、これまでは戦時中にしか生じなかったような義務感を持って、私たちが団結していくことを誓います。

⑥この誓いを立てた私は、規律ある形で一丸となって共通の問題に取り組もうと尽くす国民の指導者の地位に、ためらうことなく就きます。

⑦この形でこの目的に対して行動を起こしていくわけですが、私たちが祖先から受け継いだ政府の下であれば、それは可能なことなのです。

①Our Constitution is so simple, so practical that it is possible always to meet extraordinary needs by changes in emphasis and arrangement without loss of essential form. ②That is why our constitutional system has proved itself the most superbly enduring political mechanism the modern world has ever seen.

③It has met every stress of vast expansion of territory, of foreign wars, of bitter internal strife, of world relations. ④And it is to be hoped that the normal balance of executive and legislative authority may be wholly equal, wholly adequate to meet the unprecedented task before us. ⑤But it may be that an unprecedented demand and need for undelayed action may call for temporary departure from that normal balance of public procedure.

⑥I am prepared under my constitutional duty to recommend the measures that a stricken nation in the midst of a stricken world may require. ⑦These measures, or such other measures as the Congress may build out of its experience and wisdom, I shall seek, within my constitutional authority, to bring to speedy adoption.

⑧But, in the event that (～という場合には) the Congress shall fail to take one of these two courses, in the event that the national emergency is still critical, I shall not evade the clear course of duty that will then confront me.

①合衆国憲法は非常に簡明で実用的なものであるがゆえに、強調すべきことや優先すべきことを変化させることで、ただならぬ要求にも常に本質的な姿を失うことなく対応していくことができるのです。②だからこそ私たちの憲法制度は、現代世界史上、耐久力の面で他をはるかに凌駕（りょうが）するものであることが証明されてきたのです。

③合衆国憲法は、領土の大幅な拡大、対外戦争、悲惨な内戦、国際関係などの圧力にすべて対処してきました。④そして、行政府と立法府が完全に対等で正常な均衡を保ったまま、眼前にある前代未聞の作業に対応していけるのが望ましいのです。⑤しかし、前例のない要求や必要性が生じ迅速に行動しなければならない場合には、一時的にそういった通常の公的手続きの均衡を脱した対応が求められることになるかもしれません。

⑥私には、憲法上の義務の下、苦境に陥った世界の真っただ中で苦境に陥った国に求められる対策を促す用意があります。⑦そのような対策、あるいは国会がその経験と英知に基づいて立てる対策を、私は憲法上の権限の範囲内において迅速に採択するよう努力します。

⑧しかし、議会がその２つの路線のいずれも取らない場合、国家が依然として重大な危機を抱えている場合には、私は臆することなく自らの義務を果たし、歩むべき道を歩んでいくでしょう。

①I shall ask the Congress for the one remaining instrument to meet the crisis — broad executive power to wage a war against the emergency, as great as the power that would be given to me if we were in fact invaded by a foreign foe.

②For the trust reposed in me, I will return the courage and the devotion that befit the time. ③I can do no less.

④We face the arduous days that lie before us in the warm courage of national unity; with the clear consciousness of seeking old and precious moral values; with the clean satisfaction that comes from the stern performance of duty by old and young alike. ⑤We aim at the assurance of a rounded, a permanent national life.

⑥We do not distrust the future of essential democracy. ⑦The people of the United States have not failed. ⑧In their need they have registered a mandate (指令) that they want direct, vigorous action. ⑨They have asked for discipline and direction under leadership. ⑩They have made me the present instrument of their wishes. ⑪In the spirit of the gift I take it.

⑫In this dedication of a nation we humbly ask the blessing of God.

⑬May He protect each and every one of us.

⑭May He guide me in the days to come.

①議会に対しては、その危機に対処するために唯一残された手段を求めます。それは、実際に敵国に侵攻された場合に私に付与されるものと同じくらい大きな執行権を、その危機に対して戦いを挑むために与えていただくよう求めます。

②自分に託された信頼に対しては、時代に合致した勇気と献身で応えていきます。③それ以下のことなどできないのです。

④前方には困難な日々が広がっていますが、国が一丸となることで熱い勇気を得て、伝統的な尊い倫理観の追求を明確に意識し、老いも若きも同様に厳格に義務を果たすことでけがれのない満足感を得て、そういった日々に対峙していくのです。⑤私たちの目的は、円熟した国民生活が永遠に続くという確信を得ることなのです。

⑥本質的な民主主義の未来を疑うことはありません。⑦合衆国国民は、失敗を犯してはいません。⑧苦境の中で、直接的かつ精力的な行動を求める姿勢を明らかにしました。⑨指揮の下の規律と指示を求めました。⑩国民は願いをかなえるための当面の手段として、私を選んだのです。⑪私は感謝の気持ちを持って、それを受け入れます。

⑫こうして国家を捧げる中で、私たちは謙虚に神の祝福を求めるのです。

⑬私たちひとりひとりに神のご加護がありますように。

⑭来たるべき日々の中、神が私たちを導いてくれますように。

フランクリン・デラノ・ルーズベルト大統領「就任演説」の背景

background

▶「大統領の手本」FDRの歩み

名演説には名文句がつきものだ。歴代のアメリカ大統領が就任演説の草稿を書くときにかならず参考にするという、フランクリン・デラノ・ルーズベルト（FDR）が1933年の大統領就任に際して行った演説にも、そうした名文句がある。「the only thing we have to fear is fear itself」というくだりだ。当時のアメリカで屈指の大富豪が大統領のポストに就こうとしていたとき、大多数のアメリカ国民は、自分たちに襲いかかる不安におののいていた。大恐慌の不安である。

FDRにとって、ワシントンとホワイトハウスは決して遠い存在ではなかった。貿易と投資で財を成したルーズベルト家は、アメリカ東海岸で最も裕福な一族といわれ、その豊富な財力を背景に政界に大きな影響力を持っていた。弁護士を父親に、貿易商の娘を母親にという恵まれた家庭に育ったFDRは、子供の頃から休暇をヨーロッパで過ごすような人間だった。ハーバード大学とコロンビア大学の法科大学院に通い、同大学院在学中に司法試験に合格し、ニューヨーク・ウォール街の法律事務所に高額の給与で迎えられるという、エリートを絵に描いたような人生のスタートを切っている。

40歳の誕生日を迎える直前の1920年と21年に不幸がFDRを襲う。1920年の大統領選挙で民主党の副大統領候補の座を目指したものの失敗し、また、麻痺性の病に感染してしまったのだ。この後3年間、FDRは療養生活に入る。

1920年代のアメリカ、とりわけその後半のアメリカは好景気に沸く国だった。不動産開発業者がフロリダで造成して販売した別荘地は、ボストンやニューヨークの金持ちたちが冬の寒い時期を快適に過ごす場所として飛ぶように売れ、投資家たちは手持ちの資金をウォール街の証券会社や投資会社に持ち込んだ。バブルの出現である。そのバブルが絶頂を迎えた1928年、病から回復したFDRは下半身の麻痺を抱えながらニューヨーク州知事選挙に立候補し、当選する。まだテレビがなく、政治家の健康状態が投票に際しての有権者の大きな判断材料にならなかった時代のことである。

▶声に出してこそ分かるFDR演説の力

バブルの崩壊は、1929年の10月24日に始まった。ニューヨーク証券取引所の株価はこの日13%の下落を記録し、5日後の10月29日にはさらに14%下落する。底なし沼のような不況がアメリカと世界を襲ったのだ。

バブル崩壊の時期にニューヨーク州知事であったことが、FDRにとって幸いだった。1932年の大統領選挙へ向けての民主党の大統領候補として推されることになったからだ。仕方なく再選を目指すフーバーを難なく破って当選したFDRは大統領就任の日の1933年3月4日、練りに練った原稿を基に就任演説を行った。

演説の原稿を文章として読む限りでは、あまり名文のような印象は受けない。むしろバラバラのセンテンスを寄せ集めた感じがしないでもない。しかしいったんこの文章が音声になると、元の文章にはなかったようなリズムとテンポが生まれてくる。FDRにはもちろん演説原稿を書くスピーチライターがついていたし、そのスピーチライターを支える知恵袋たちが存在した。母校のコロンビア大学やハーバード大学からピックアップした学者や研究者たち。ブレーン・トラストと呼ばれた面々である。

演説冒頭の「the only thing we have to fear is fear itself」と並んで注意を払わなければならない文言が、この演説にはある。それは後半の部分で繰り返されるact、もしくはactionということばだ。actは3回、actionは7回使われている。FDRは不況の影に怯えているアメリカ国民に対して、行動することによって、その怯えから脱却することを求めたのだった。

▶景気を回復させたのはFDRだったのか

政府もまた行動しなければいけない。FDRは3月4日に大統領に就任してから毎日、何かしらの新しい政策や決定を発表して「行動する政府」を国民に印象づけたのである。政権発足から10日目の3月13日には、1920年から続いていた禁酒法を廃止する手始めとして、ビールを解禁したのだった。

FDRが行った、公共投資を中心とし「ニューディール」の名称で呼ばれる景気の回復策が、どのように実効を表したかについては、1930年代の後半から世界が戦争の時代に突入したこともあって、専門家たちの間でもさまざまな解釈がある。第2次世界大戦が終わって、気がついてみたら景気が回復していたということだったのかもしれない。アメリカの大統領としてただひとり、3選はもとより4選を果たしたFDRは、第2次世界大戦の最終的な終結を待たずに、1945年4月12日に現職のまま世を去った。

15 ヘレン・ケラー Helen Keller

米国聴覚障害者言語指導促進協会での演説（1896年7月8日）

1880年6月27日アメリカ・アラバマ州生まれ。2歳のとき熱病で聴力と視力を失い、話せなくなる。家庭教師アン・サリバンの教育によって読み書きを覚え、1904年にラドクリフ女子大学（現ハーバード大学）を卒業。1909年、社会党に入党。婦人参政権運動、労働運動、公民権運動など数多くの運動に参加し、積極的に執筆・講演活動を行った。

世界に与えたインパクト

耳と目と口が不自由であったヘレン・ケラーが、いったいどのような方法でしゃべったのかを不思議に思う読者がおそらくいるだろう。彼女は自分で原稿を「書き」、秘書が「代読」する形でスピーチを行った。そのことだけでも大変な苦労であったはずなのに、スピーチの原稿からそうした点は感じられない。彼女を主人公にした映画のタイトルが「奇跡の人」というものであったことに象徴されるように、彼女はまさしく稀に見る「奇跡」の人であったのだ。

①If you knew all the joy I feel in being able to speak to you today, I think you would have some idea of the value of speech to the deaf, and you would understand why I want every little deaf child in all this great world to have an opportunity to learn to speak. ②I know that much has been said and written on this subject, and that there is a wide difference of opinion among teachers of the deaf in regard to oral instruction. ③It seems very strange to me that there should be this difference of opinion; ④I cannot understand how any one interested in our education can fail to appreciate the satisfaction we feel in being able to express our thoughts in living words. ⑤Why, I use speech constantly, and I cannot begin to tell you how much pleasure it gives me to do so. ⑥Of course I know that it is not always easy for strangers to understand me, but it will be by and by (やがて); and in the meantime I have the unspeakable happiness of knowing that my family and friends rejoice in (～を喜ぶ) my ability to speak. ⑦My little sister and baby brother love to have me tell them stories in the long summer evenings when I am at home; and my mother and teacher often ask me to read to them from my favorite books. ⑧I also discuss the political situation with my dear father, and we decide the most perplexing questions quite as satisfactorily to ourselves as if I could see and hear. ⑨So you see what a blessing speech is to me.

①私が今日皆さんにお話しすることができて、どんなにうれしく思っているか、すべてお分かりいただけたら、聴力障害者にとって話せることがどんなに価値あることなのか、少しは理解していただけると思います。また、なぜ私がこの素晴らしい世界に生きる聴力障害児全員に話せるようになる機会を持ってほしいのかも理解していただけるでしょう。②この問題について、これまでいろいろなことが話されたり書かれたりしてきたことは知っていますし、聴覚障害者を担当している先生方の間でも、会話指導について大きく意見が分かれていることは承知しています。③私にとっては、このように意見が分かれていることが不思議でたまりません。④私たちの教育に関心を持っている人が、なぜ私たちが生きた言葉で自分の考えを表現できることで得られる満足感が分からないのか、理解に苦しむのです。⑤私は常に言葉を話していますし、話すことで説明しきれないほど多くの喜びを得ているのですから。⑥もちろん私のことをよくご存じない人にとっては、私の言葉は理解しにくいこともあるのは承知していますが、徐々に分かっていただけるようになっていくでしょう。一方で、私が話せることを家族や友人が喜んでくれていると知っているので、言い表せないほどの幸せを感じるのです。⑦妹や弟は、私が家にいる長い夏の晩に物語を聞かせてもらうのが大好きですし、母や先生からは、よく私にお気に入りの本の中から読み聞かせるように頼まれます。⑧愛する父とは政治情勢について話をしますし、最高に難しい問題に対しても、目が見えて耳が聞こえる場合と変わらず、お互いに十分満足できる結論を出したりします。⑨ですから、話せることが私にとってどんなに素晴らしいことなのか、お分かりいただけるでしょう。

①It brings me into closer and tenderer relationship with those I love, and makes it possible for me to enjoy the sweet companionship of a great many persons from whom I should be entirely cut off if I could not talk.

②I can remember the time before I learned to speak, and how I used to struggle to express my thoughts by means of (～を用いて) the manual alphabet — how my thoughts used to beat against my finger tips like little birds striving to (懸命に～しようとする) gain their freedom, until one day Miss Fuller opened wide the prison-door and let them escape. ③I wonder if she remembers how eagerly and gladly they spread their wings and flew away. ④Of course, it was not easy at first to fly. ⑤The speech-wings were weak and broken, and had lost all the grace and beauty that had once been theirs; indeed, nothing was left save (～を除いて) the impulse to fly, but that was something. ⑥One can never consent to creep when one feels an impulse to soar. ⑦But, nevertheless, it seemed to me sometimes that I could never use my speech-wings as God intended I should use them; there were so many difficulties in the way, so many discouragements; but I kept on trying, knowing that patience and perseverance would win in the end. ⑧And while I worked, I built the most beautiful air-castles (白昼夢), and dreamed dreams, the pleasantest of which was of the time when I should talk like other people, and the thought of the pleasure it would give my mother to hear my voice once more, sweetened every effort and made every failure an incentive to try harder next time.

①話せることで、私にとって大事な人たちともっと親密で愛情に満ちた関係を築くことができ、話せなければ完全に関係が断ち切られてしまうような多くの人たちとも、素敵なお付き合いができるのです。

②私は話せるようになる前の時期のことを覚えているのですが、当時は指文字で自分の思いを表現するのに悪戦苦闘していました。私の思いは、まるで自由を得ようと懸命に努める小鳥のように、指先に当たっていましたが、ある日フラー先生に会ったことで、監獄の扉が開け放たれ、解放されたのです。③私の思いが、どれだけ喜び勇んで翼を広げて飛び去っていったのか、先生は覚えていらっしゃるでしょうか。④もちろん最初は飛ぶのは簡単ではありませんでした。⑤言葉の翼はひ弱で折れていて、かつて持っていたような優美な姿をすべて失ってしまっていたのです。実際に、飛びたいという衝動以外には何も残されていなかったのですが、それこそが大事なものでした。⑥空高く舞い上がりたいという衝動があれば、地を這うことに納得することなどできないのです。⑦しかし、それでも時々、神様が意図された形で言葉の翼を使うことなど、私にはできないのではないかという気持ちになってしまうこともありました。道中ではとても多くの苦難に直面しましたし、意気消沈することも多々ありました。それでも最後に勝つのは根気と忍耐なのだと分かっていた私は、挑戦を続けたのです。⑧努力を続ける中で、私は最高に美しい空想を描き、夢を見ましたが、中でも最高に心地よかったのが、ほかの人と同じように話せるようになった自分の姿で、もう一度私の声を聞くことができたら母はどんなに喜ぶだろうと考えると、どんな努力も楽になり、どんなに失敗しても、次にさらに頑張るための励みになったのです。

① So I want to say to those who are trying to learn to speak and those who are teaching them: Be of good cheer. ② Do not think of today's failures, but of the success that may come tomorrow. ③ You have set yourselves a difficult task, but you will succeed if you persevere, and you will find a joy in overcoming obstacles — a delight in climbing rugged paths, which you would perhaps never know if you did not sometimes slip backward — if the road was always smooth and pleasant. ④ Remember, no effort that we make to attain something beautiful is ever lost. ⑤ Sometime, somewhere, somehow we shall find that which we seek. ⑥ We shall speak, yes, and sing, too, as God intended we should speak and sing.

of good cheer: 元気でいる

①ですから、話せるようになるために努力している方や、そういった方の指導をされている方々に、こう申し上げたいのです。②楽観的になりましょう。今日の失敗ではなく、明日やってくるかもしれない成功に思いを馳せましょう。③皆さんは自らに試練を課したわけですが、辛抱すれば成功しますし、障害を乗り越える喜びを見出せるでしょう。それは険しい坂道を登ることで得られる喜びであり、平たんで快適な道を時折滑り落ちることもないまま歩き続けた場合には、決して経験することができないような喜びです。④忘れないでください、素晴らしいものを目指す努力が無駄になることはないということを。⑤いつか、どこかで、なんとかして、私たちは求めるものを見つけ出すのです。⑥そう、神が意図されたように話して、歌うようにもなっていくのです。

ヘレン・ケラー「米国聴覚障害者言語指導促進協会での演説」の背景

background

▶「ことば」を奪われて

万物の中で、人間だけがことばを持っている。話しことばと書きことばだ。前者は音声であり、後者は文字や記号だ。音声や文字、そして記号は、人間にとってコミュニケーションの手段であり、生活と文化を形成するための道具であった。

1880年6月27日にアメリカ合衆国アラバマ州のタスカンビアで生まれたヘレン・アダムス・ケラーは、生後19カ月で、ことばを奪われた。突然の強烈な腹痛と頭痛に襲われ、視力と聴力を失ってしまったからだ。彼女を襲った病は、後になって脳膜炎またはしょう紅熱ではなかったかと推測されている。

ヘレンが6歳になった頃、父親のアーサーは聴覚障害者の救済に熱心であったアレクサンダー・グラハム・ベルに相談して、ヘレンに家庭教師をつけることにした。やってきたアン・サリバンはボストンの盲学校を卒業した20歳の女性で、以前は盲目であったのが、手術の結果、視力を取り戻していた。幼いヘレンはアン・サリバンを「先生」と呼び、この呼び方は、サリバンが1936年に世を去るまで変わらなかった。

▶教育によって開かれた世界への扉

サリバンの勧めもあって、ヘレンは2年後、盲学校に入学する。6年後には、ろうあ学校に入学した。相手の意思を理解し、自分の意思を相手に伝える方法を学ぶことが重要だと考えたからだ。ろうあ学校でヘレンは、自分にスピーチの方法を教えてくれる最初の先生に出会っている。

本書に採録した演説の中段に名前が出てくるミス・フラーがその人だ。フルネームはセーラ・フラーである。

ヘレンの先生たち、とりわけアン・サリバンは、ヘレンの手のひらに文字を書くことによって、その文字と文字が意味するものを記憶させようとした。サリバンがヘレンの手のひらに最初に書いた文字はDOLL（人形）というもので、そのときサリバンは人形をヘレンに手渡したという。ヘレンの片手を流れる水の下に置き、もう一方の手のひらにWATER（水）と書いて理解させたというエピソードも有名だ。こうしてヘレンは対象物に触ることによって、相手とのコミュニケーションができるようになり、盲、ろう（耳が聞こえないこと）、あ（ことばを発声できないこと）の3つの「苦しみ」を克服していくのだ。

盲学校、ろうあ学校での教育と訓練の後、彼女は健常者でも入学が難しい名門のラドクリフ女子大学の入学試験に合格し、4年後には優等の成績で卒業している。大学を卒業した後は苦難を克服した「奇跡の人」としてもてはやされ、講演などで各地を旅行する。日本訪問は1937年と1948年と1955年の計3回、いずれも新聞社の招待によるものであった。

▶3回の来日とヘレンの「声」

1937年に初めて日本を訪れたとき、ヘレン・ケラーは秋田犬に強い関心を示した。忠犬ハチ公のエピソードを聞いてのことだったという。秋田県から神風号という名前の1頭が贈られたが、後に死んでしまったため、改めて剣山号という1頭が贈られた。2回目の訪問は、日本の敗戦からまだ日が浅い1948年のことで、この訪問がきっかけになって日本の身体障害者福祉法の制定に向けての動きが加速したとされている。法律は1年後に成立した。

3回目で最後になった1955年の日本訪問については、当時毎日新聞の記者としてヘレン・ケラーに密着取材した銭本三千年氏が貴重な記録をとどめている。それは講演会場で舞台のカーテンの裏という至近距離にいた銭本記者が、ヘレン・ケラーの口から漏れ出るかすかな「声」を聴いたというものだ。ヘレン・ケラーの講演は秘書のポリー・トムソンが指文字を読み取って、自分の声で聴衆に伝えていたのだが、指文字を書くヘレン・ケラー自身の口から、かすかに「声」が漏れていたと銭本氏は書きとどめている。ちなみにアン・サリバンが1936年に世を去った後、ヘレン・ケラーはスコットランド出身のポリー・トムソンを「秘書」として雇い、日本への旅行にはトムソンが「秘書兼通訳」として同行していた。

最後にもう一度、採録した演説に戻ろう。演説の時は1896年7月8日、場所はペンシルベニア州フィラデルフィア市のマウント・エアリーとなっている。聴覚障害者に対する言語指導の促進を目的にしている団体の全国大会での演説であるが、その時点でのヘレン・ケラーの年齢を確かめると、まだ16歳だ。盲学校とろうあ学校での教育と訓練を終えたばかりの少女が、アメリカ全土から集った聴覚障害者教育の専門家たちを前に、堂々の演説を行った。その光景はどう想像したらよいのだろうか。それにしても演説終盤の「もう一度私の声を聞くことができたら母はどんなに喜ぶだろう」というくだりは聴く人の感動を誘う。

16 エイブラハム・リンカーン大統領 Abraham Lincoln

ゲティスバーグ演説（1863年11月19日）

1809年2月12日アメリカ・ケンタッキー州生まれ。弁護士を経て、1861年に初の共和党所属大統領となった。奴隷制度に反対したことに南部諸州は強く反発、南北戦争へ発展。大権を行使し個人的な戦争指揮、議会無認可の支出などを行った。「奴隷解放の父」と呼ばれるも、1865年、暗殺によりこの世を去った。

世界に与えたインパクト

録音の技術が発明されていて、本人の声が残っていたら、ぜひ聴いてみたいのがエイブラハム・リンカーン大統領の声だ。後世の学者たちは、リンカーンの顔や口の形の分析、さらにはリンカーンの声を聴く機会があった人たちの証言などから、リンカーンの声は、やや甲高いものであったと結論づけている。あまりにも有名なゲティスバーグの演説ではあるが、実際にスピーチで彼の声を聴いた人の数は極めて少数に限られていたという。

①Fourscore and seven years ago our fathers brought forth on this continent a new nation, conceived in liberty and dedicated to the proposition that all men are created equal.

Fourscore：80年　brought forth：作り出す

②Now we are engaged in a great civil war, testing whether that nation or any nation so conceived and so dedicated can long endure. ③We are met on a great battlefield of that war. ④We have come to dedicate a portion of that field as a final resting-place for those who here gave their lives that that nation might live. ⑤It is altogether fitting and proper that we should do this.

fitting：適切な

⑥But, in a larger sense, we cannot dedicate, we cannot consecrate, we cannot hallow this ground. ⑦The brave men, living and dead who struggled here have consecrated it far above our poor power to add or detract. ⑧The world will little note nor long remember what we say here, but it can never forget what they did here. ⑨It is for us the living rather to be dedicated here to the unfinished work which they who fought here have thus far so nobly advanced. ⑩It is rather for us to be here dedicated to the great task remaining before us — that from these honored dead we take increased devotion to that cause for which they gave the last full measure of devotion — that we here highly resolve that these dead shall not have died in vain — that this nation under God shall have a new birth of freedom — and that government of the people, by the people, for the people shall not perish from the earth.

consecrate：清める　hallow：神聖化する　in vain：無駄に　perish：滅びる

①87年前、われわれの先人はこの大陸に新たな国家を誕生させました。それは自由の中で受胎され、人は皆生まれながらにして平等であるという命題に捧げられた国家であります。

②現在、私たちは深刻な内戦を戦っています。この内戦により、わが国のみならず、同様に受胎され、同様の命題に捧げられた国家が、長きにわたって存続することができるかどうかが試されています。③私たちは、その戦争の激戦地で一堂に会しています。④国家の存続のためにこの戦場で命を犠牲にした人々の最後の安息の地として、この地の一角を捧げるべく、私たちは集結したのです。⑤そうするのは、私たちにとって至極適切かつ正当なことです。

⑥しかし、さらに大局的に見ますと、私たちにはこの土地を神に捧げたり、清めたり、神聖化したりすることなどできません。⑦生き延びていようが、戦死していようが、ここで奮闘した勇敢な人々の手で、すでにここは聖地になっており、そこに加減をすることなど、貧弱な私たちの力には、遠く及ばないことなのです。⑧私たちのここでの発言に世界が注目したり、それを長く記憶にとどめたりすることはないでしょうが、そうした勇敢な人々のここでの偉業は、絶対に忘れ去られることはないでしょう。⑨ここで戦った人々が気高く推し進めてきた未完の作業に献身することが、むしろ生きるわれわれの務めなのです。⑩目の前に残る大仕事に献身することが、私たちの務めなのです。名誉の死を遂げた人々が最後まで全身全霊で身を捧げた大義のために、私たちもさらに尽くしていくこと。戦死者の死を無駄にはしないとここで固く決意すること。神のご加護の下でこの国の自由を新生させること。そして人民の人民による人民のための政治を地上から絶やさぬようにすることなのです。

エイブラハム・リンカーン大統領「ゲティスバーグ演説」の背景

background

▶「2級市民」が大統領になれた国アメリカ

任意のアメリカ人に、歴代の大統領のうちで誰を最も尊敬、または高く評価するかを尋ねたとしよう。その場合、最も多く返ってくる答えは間違いなく「リンカーン」というものであろう。理由として、そのアメリカ人は、リンカーンが合衆国の分裂を阻止し、黒人奴隷を解放した事実を挙げるかもしれない。しかし、アメリカ人たちがリンカーンを尊敬し、高く評価する理由は別のところにもある。それはリンカーンを大統領にしたアメリカのシステムに対する評価だ。

エイブラハム・リンカーンは、農業と建築業に従事していた父親と、入籍していなかった女性を母親としてケンタッキー州の田舎町に生まれた。こうした出自を、リンカーン自身は後になって「自分は第2級の市民（second-class citizen）であった」と回想している。9歳のときに母親のナンシーが病気で世を去り、幼いリンカーンは父親を手伝って母親の柩（ひつぎ）をこしらえたという悲しい記憶を持っている。文字を読むことができず粗野であった父親とは生涯そりが合わなかったらしく、父親の葬式には欠席している。

一部屋だけの丸太小屋で育つ幼いリンカーンに、ものを学ぶことの楽しさと喜びを教えたのは、継母のセーラであったという。リンカーンは、貧しさのゆえに正規の教育こそ受ける機会はなかったものの、独学で知識を磨き弁護士の資格を得た後、政治の世界に進出していく。イリノイ州の州議会議員を経て、1847年から2年間、連邦下院議員を務めることになった。この2年間のワシントンでの仕事と1852年の連邦上院議員選挙での敗北が、1860年の大統領選挙へ向けた共和党の候補者としてのリンカーンの選出につながる。連邦上院議員選挙のキャンペーン演説で、リンカーンは「分裂した家は立つことあたわず」という聖書の文言を引用して、合衆国が将来、奴隷国家か自由国家かのいずれかを選ばなければならなくなるだろうと予言したからである。

▶合衆国vs.連合国——南北戦争の勃発

アメリカの国勢調査の数字によれば、1860年の時点での合衆国の総人口は概数で3,120万、うち奴隷人口は400万で、全人口に占める黒人奴隷の割合は12.8%であった。当時のアメリカは北部が工業中心、南部が農業中心というように産業構造が分かれており、農業中心の南部奴隷州では、働き手として黒人奴隷が数多く使われていた。過酷な労働状況の中で、黒人奴隷たちによる抵抗や抗議の動きが各地で発生していた事実があり、奴隷問題は治安問題としても無視できなくなっていた。奴隷制度の廃止を主張する北部自由州にとっては、この時期のリンカーンは大統領候補として切り札的な存在であったのだ。

1860年当時には、34の州がアメリカ合衆国を形成していた。このうち奴隷制度を認めていた州が15、認めていなかった州が19である。その年の大統領選挙にはリンカーンを含めて4人が立候補して争い、303人の大統領選挙人のうち180人を獲得したリンカーンが大統領に当選した。

奴隷州と自由州との亀裂は、リンカーンが大統領に就任する前に早くも入り始めた。1860年の12月にはサウスカロライナ州が合衆国から脱退し、翌年2月には、同様に脱退した6つの州を合わせた7州が「アメリカ連合国」を結成した。3月4日にリンカーンが大統領に就任すると、4月には「アメリカ連合国」軍が「アメリカ合衆国」軍の要塞を攻撃して戦争が始まり、新しく連合国に参加した4州を含む南部11州と合衆国にとどまった北部23州が、4年間にわたって戦火を交えることになった。

▶あの名言の裏にあった配慮

ペンシルベニア州ゲティスバーグは南北戦争の激戦地のひとつで、両軍合わせて3,000人あまりが戦死したとされている。本書に採録した演説は、ゲティスバーグに作った墓苑の開所式に出席したリンカーン大統領が行ったもので、全文272語、文字数にして1,440字という短い演説である。マイクロフォンもなかった当時、会場でこの演説を直接聴くことができた人の数は限られていたという。しかしこの演説は「government of the people, by the people, for the people」という文言のゆえに、歴史に残ることになった。それまでアメリカの政治家たちが多用していたcitizenではなくpeopleという表現をリンカーンが使ったのは、citizenでは合衆国の国民を想起させる一方で、連合国の国民に対しては疎外感を与え、南北アメリカの分裂を固定化しかねないという配慮に基づくものであった、というのが多くの学者たちの解釈である。

リンカーンがこの演説を行った時点では、南北戦争はまだ継続中で、南軍の司令官であったリー将軍が降伏して戦争が終結するまでには、なお1年5カ月の月日と多くの人的犠牲が必要だった。大統領2期目に就任していたリンカーンも、リー将軍の降伏から6日後に暗殺者の凶弾に倒れている。

17

カール・マルクス
Karl Marx

自由貿易に関する演説（一部略）（1848年1月9日）

1818年5月5日プロイセン王国（現ドイツ）生まれ。1841年、イエナ大学に論文を提出して哲学博士となる。1848年、友人エンゲルスと『共産党宣言』を共著。翌年より英ロンドンに住み、エンゲルスの資金援助とニューヨーク・トリビューン紙の特派員としての収入で生活。1867年『資本論』第1部を出版（2部と3部は死後に出版）。

世界に与えたインパクト

カール・マルクスほど毀誉褒貶（きよほうへん）に富んだ人物はいない。ある人たちにとって彼は神に近い存在であり、また他の人たちにとって彼は悪魔そのものであった。そうした評価を作り出す背景になったのは、論理を重視するドイツの文化の中で育った資質とアジテーターとしての類いまれな才能であったのではないか。テキストは英語訳であるが、オリジナルはドイツ語である。「万国の労働者よ、団結せよ！」という彼の声が聞こえてくるようなスピーチだ。

Gentlemen,

① The Repeal of the Corn Laws in England is the greatest triumph of free trade in the 19th century. ② In every country where manufacturers talk of free trade, they have in mind chiefly free trade in corn and raw materials in general. ③ To impose protective duties on foreign corn is infamous. ④ It is to speculate on the famine of peoples.

⑤ Cheap food, high wages — this is the sole aim for which English free-traders have spent millions, and their enthusiasm has already spread to their brethren on the Continent. ⑥ Generally speaking, those who wish for free trade desire it in order to alleviate the condition of the working class.

⑦ But, strange to say, the people for whom cheap food is to be procured at all costs (いかなる代償を払っても) are very ungrateful. ⑧ Cheap food is as ill-esteemed in England as cheap government is in France. ⑨ The people see in these self-sacrificing gentlemen, in Bowring, Bright and Co., their worst enemies and the most shameless hypocrites.

⑩ Everyone knows that in England the struggle between Liberals and Democrats takes the name of the struggle between Free-Traders and Chartists.

⑪ Let us now see how the English free-traders have proved to the people the good intentions that animate them.

諸君。

①英国が穀物法を廃止したわけですが、それは19世紀の自由貿易最大の勝利です。②各国で製造業者が自由貿易を口にする場合、主として穀物と原材料全般が念頭に置かれています。③保護関税を外国産の穀物に課すことは悪名高いことです。④国民の飢きんに投機をすることなのです。

⑤安価な食糧と高額の賃金、それだけが目的で英国の自由貿易主義者は大金を費やしてきており、そういった自由貿易主義者の熱意はすでに大陸の同胞にも広がっています。⑥一般的に言えば、自由貿易主義者は労働者階級の窮状緩和を願っています。

⑦しかし、奇妙なことではありますが、安価な食糧をあらゆる犠牲を払って獲得してみたところで、それを受け取る側の国民は、まったくありがたみを感じていません。⑧フランスで安上がりな政府に対する評価が低いのと同じくらい、英国では安価な食料に対する評価が低いのです。⑨バウリング（国会議員として自由貿易を推進した英国の外交官・著述家）、ブライト（自由貿易を唱え、反穀物法同盟を指導した英国の政治家）といった紳士たちが献身的な努力を払ってきたわけですが、国民はそういった人物を最大の敵と見なし、最高に破廉恥な偽善者と見なしているのです。

⑩英国では、自由主義者と民主主義者の闘争が、自由貿易主義者と人民憲章主義者（チャーチスト運動家）の闘争という名の下で行われていることは周知の事実です。

⑪英国の自由貿易主義者が、国民に対して、自らを活気づける善意をいかに証明してきたのか見てみましょう。

① This is what they said to the factory workers:

"② The duty levied on corn is a tax upon wages. ③ This tax you pay to the landlords, those medieval aristocrats. ④ If your position is a wretched one, it is on account of the dearness of the immediate necessities of life."

on account of：～のせいで

⑤ The workers in turn asked the manufacturers:

"⑥ How is it that in the course of the last 30 years, while our industry has undergone the greatest development, our wages have fallen far more rapidly, in proportion, than the price of corn has gone up?

in the course of：～の間に
in proportion：比べて

"⑦ The tax which you say we pay the landlords is about 3 pence a week per worker. ⑧ And yet the wages of the hand-loom weaver fell, between 1815 and 1843, from 28s. per week to 5s., and the wages of the power-loom weavers, between 1823 and 1843, from 20s. per week to 8s.

"⑨ And during the whole of this period that portion of the tax which we paid to the landlord has never exceeded 3 pence. ⑩ And, then in the year 1834, when bread was very cheap and business going on very well, what did you tell us? ⑪ You said, 'If you are unfortunate, it is because you have too many children, and your marriages are more productive than your labor!'

"⑫ These are the very words you spoke to us, and you set about making new Poor Laws, and building work-houses, the Bastilles of the proletariat."

①彼らは工場労働者たちにこう語りました。

「②穀物に対する課税は、賃金に対する課税なのです。③皆さんはこの税金分を地主、つまり中世の特権階級に対して支払っているわけです。④皆さんが窮地に立たされているとすれば、それは生活必需品の値段の高さが原因なのです」

⑤すると今度は、労働者たちが製造業者にこう尋ねました。

「⑥過去30年間でわれわれの産業が最大の発展を遂げたというのに、受け取る賃金が、穀物の価格上昇に比べてはるかに急速に下落したのは、いったいどういうことでしょうか？

⑦私たちが地主に支払っているという税金は労働者ひとりにつき週3ペンス（1シリング＝12ペンス）ほどです。⑧しかし、手織り機の織工の賃金は、1815年から1843年の間に週28シリングから5シリングにまで下落し、動力織機の織工の賃金は、1823年から1843年の間に週20シリングから8シリングにまで下落しました。

⑨そしてこの期間、私たちが地主に支払う税金分が3ペンスを超えたことはありません。⑩それで、パンが安価で景気が非常に良かった1834年に、あなた方はなんとおっしゃったでしょう？　⑪『不幸であるならば、それは子供をもうけすぎたせいで、結婚の方が労働よりも生産的だったのが原因なのです！』とおっしゃったではありませんか。

⑫あなた方はまさにそうおっしゃって、新たな貧民救済法の作成と、プロレタリアート（労働者階級）にとってのバスチーユ監獄とでも言うべき救貧院の建設に着手したのです」

① To this the manufacturer replied:

"② You are right, worthy laborers. ③ It is not the price of corn alone, but competition of the hands among themselves as well, which determined wages.

"④ But ponder well one thing — namely, that our soil consists only of rocks and sandbanks. ⑤ You surely do not imagine that corn can be grown in flower pots. ⑥ So if, instead of lavishing our capital and our labor upon a thoroughly sterile soil, we were to give up agriculture, and devote ourselves exclusively to industry, all Europe would abandon its factories, and England would form one huge factory town, with the whole of the rest of Europe for its countryside."

⑦ While thus haranguing his own workingmen, the manufacturer is interrogated by the small trader, who says to him:

"⑧ If we repeal the Corn Laws, we shall indeed ruin agriculture; but for all that (それでもやはり), we shall not compel other nations to give up their own factories and buy from ours.

"⑨ What will the consequence be? ⑩ I shall lose the customers that I have at present in the country, and the home trade will lose its market."

⑪ The manufacturer, turning his back upon the workers, replies to the shopkeeper:

"⑫ As to (〜については) that, you leave it to us! ⑬ Once (ひとたび〜すれば) rid of the duty on corn, we shall import cheaper corn from abroad. ⑭ Then we shall reduce wages at the very time when they rise in the countries where we get our corn.

①これに対して製造業者はこう返しました。

「②善良な労働者の皆さんの言う通りです。③賃金の決定要因は、穀物の価格だけではなく、皆さん方、労働者の間の競争でもあったのです。

④しかし、ひとつじっくり考えてもらいたいのは、わが国の国土はすべて岩と砂堆で形成されているということです。⑤もちろん穀物が植木鉢で栽培できるなどとは思わないでしょう。⑥従って、私たちの資本と労働をまったくもって不毛な土地のために浪費するかわりに、農業をあきらめて工業に専心すれば、欧州全体が工業を放棄し、英国は巨大な工業都市を形成して、欧州全域が英国の田園となることでしょう」

⑦こうして労働者に熱弁を振るう中、製造業者は小売商人に問いただされます。

「⑧穀物法を廃止すれば、確かに農業は崩壊するでしょうが、それでも他国に工業を放棄させ、英国から購入させるようなことにはならないでしょう。

⑨そのようなことになれば、どんな結果を招いてしまうでしょうか？　⑩私たちは現在国内にいる顧客を失い、国内の市場がなくなってしまうことになります」

⑪製造業者は労働者に背を向けて、小売商人にこう答えます。

「⑫それに関しては、私たちにお任せください！　⑬穀物関税が撤廃されれば、より安価な穀物を海外から輸入することになります。⑭そうすれば、穀物の輸入元の賃金が上昇しているまさにそのときに、私たちは賃金を削減すればいいのです。

"① Thus in addition to the advantages which we already enjoy we shall also have that of lower wages and, with all these advantages, we shall easily force the Continent to buy from us."

② But now the farmers and agricultural laborers join in the discussion:

"③ And what, pray, is to become of us?

④ Are we going to pass a sentence of death upon agriculture, from which we get our living? ⑤ Are we to allow the soil to be torn from beneath our feet?"

（中略）

⑥ To sum up, what is free trade? ⑦ What is free trade under the present condition of society? ⑧ It is freedom of capital. ⑨ When you have overthrown the few national barriers which still restrict the progress of capital, you will merely have given it complete freedom of action. ⑩ So long as (〜する以上は) you let the relation of wage labor to capital exist, it does not matter how favorable the conditions under which the exchange of commodities takes place, there will always be a class which will exploit and a class which will be exploited. ⑪ It is really difficult to understand the claim of the free-traders who imagine that the more advantageous application of capital will abolish the antagonism between industrial capitalists and wage workers. ⑫ On the contrary (それどころか), the only result will be that the antagonism of these two classes will stand out (目立つ) still more clearly.

①従って、すでに享受している利点に加えて、低賃金の恩恵も受けることになり、そういった利点をもってすれば、大陸の国々にたやすく英国の商品を購入させられるようになるのです」

②しかし、そこで農民と農業労働者が議論に加わります。

「③それではいったい、私たちはどうなるというのですか？
④私たちは農業を生活の糧にしているというのに、農業に死刑判決を下すというのですか？　⑤土地が私たちの足元からもぎ取られるのを許してしまうというのですか？」

（中略）

⑥まとめると、自由貿易とは何なのでしょう？　⑦現在の社会状況の下での自由貿易とは、何なのでしょうか？　⑧それは資本の自由なのです。⑨現在資本の発展を制限している少数の国家障壁を撤廃してしまっても、それは資本に完全な行動の自由を与えることに過ぎません。⑩賃金労働と資本の相関関係を存続させる限り、商品取引の条件がいかに有利なものであっても、それは重要なことではなく、常に搾取する階級と搾取される階級が存在するのです。⑪より有利な形で資本を活用すれば、産業資本家と賃金労働者の対立が解消されるなどと想像している自由貿易主義者の主張は、本当に理解に苦しみます。⑫解消されるどころか、２つの階級の対立がより一層浮き彫りになるだけでしょう。

①Let us assume for a moment that there are no more Corn Laws or national or local custom duties; in fact that all the accidental circumstances which today the worker may take to be the cause of his miserable condition have entirely vanished, and you will have removed so many curtains that hide from his eyes his true enemy.

②He will see that capital become free will make him no less a slave than capital trammeled by customs duties.

③Gentlemen! ④Do not allow yourselves to be deluded by the abstract word freedom. ⑤Whose freedom? ⑥It is not the freedom of one individual in relation to another, but the freedom of capital to crush the worker.

⑦Why should you desire to go on sanctioning free competition with this idea of freedom, when this freedom is only the product of a state of things based upon free competition?

⑧We have shown what sort of brotherhood free trade begets between the different classes of one and the same nation. ⑨The brotherhood which free trade would establish between the nations of the Earth would hardly be more fraternal. ⑩To call cosmopolitan exploitation universal brotherhood is an idea that could only be engendered in the brain of the bourgeoisie. ⑪All the destructive phenomena which unlimited competition gives rise to within one country are reproduced in more gigantic proportions on the world market.

（中略）

①国家あるいは地方の関税が存在しない状態を、少し想定してみましょう。つまり労働者が現在の窮状の原因と考えている可能性のある偶発的な事態がすべて完全に消滅した状態ですが、そうすると労働者の目から障害物が取り除かれ、本当の敵の姿があらわになるでしょう。

②たとえ資本が自由になっても、資本が関税に拘束されているときと同様に、労働者は奴隷のままであることが分かるのです。

③皆さん！　④自由という抽象的な言葉に欺かれることを、自らに許してはなりません。⑤誰の自由だというのでしょうか？　⑥これは他者との関連における個人の自由ではなく、労働者を打ち砕く資本の自由なのです。

⑦この自由は自由競争に基づいた情勢の産物に過ぎないというのに、どうして、自由という概念をもって自由競争を是認し続けたがるのでしょうか？

⑧私たちは、自由取引によって、どういった種類の兄弟愛が同一国家内の異なる階級間に生じてしまうのか、示してきました。⑨自由貿易が世界の国家間に築くであろう兄弟愛も、それ以上に愛に溢れたものになることはまずないでしょう。⑩地球規模の搾取を普遍的人類愛と呼ぶのは、ブルジョアの頭の中にしか発生しえない概念です。⑪国家内での無制限の競争が生み出す、すべての破壊的現象が、世界市場においてもっと膨大な規模で再現されることになってしまうのです。

（中略）

① For instance, we are told that free trade would create an international division of labor, and thereby give to each country the production which is most in harmony with its natural advantage.

② You believe, perhaps, gentlemen, that the production of coffee and sugar is the natural destiny of the West Indies.

③ Two centuries ago, nature, which does not trouble herself about commerce, had planted neither sugarcane nor coffee trees there.

④ And it may be that in less than half a century you will find there neither coffee nor sugar, for the East Indies, by means of (～によって) cheaper production, have already successfully combated his alleged natural destiny of the West Indies. ⑤ And the West Indies, with their natural wealth, are already as heavy a burden for England as the weavers of Dacca, who also were destined from the beginning of time to weave by hand.

⑥ One other thing must never be forgotten — namely, that, just as everything has become a monopoly, there are also nowadays some branches of industry which dominate all others, and secure to the nations which most largely cultivate them the command (指揮) of the world market. ⑦ Thus in international commerce cotton alone has much greater commercial importance than all the other raw materials used in the manufacture of clothing put together.

①例えば、自由貿易は国際的な分業をもたらし、従って各国が自らの風土に最も調和した生産に従事できるようになると言われています。

②もしかすると皆さんも、コーヒーと砂糖を生産するのが西インド諸島の自然な運命だとお考えかもしれません。

③自然が商業について思い悩むことはないわけですが、2世紀前、西インド諸島にサトウキビやコーヒーの木を植えたのは、自然ではないのです。

④しかも、東インド諸島が安価な生産という手段で自然の運命とやらと戦い、すでに成功を収めているため、西インド諸島には半世紀もしないうちにコーヒーも砂糖もなくなってしまうかもしれません。⑤そして西インド諸島は、自らの自然の恵みのせいで、太古から手織りを行うように運命づけられていたダッカの織工たちと同様に、すでに英国にとって重荷となっています。

⑥ほかにもひとつ忘れてはならないことがあります。すなわち、万物が独占されてしまっているように、今日ではほかの産業部門をすべて支配してしまう産業部門があり、それを最大規模で育成する国家が、世界市場を思いのままにする力を得てしまうということです。⑦かくして国際商取引では、木綿が、衣料品の生産に用いられるその他の原料の総和以上に商業的に重要になってしまっています。

①It is truly ridiculous to see the free-traders stress the few specialties in each branch of industry, throwing them into the balance against the products used in everyday consumption and produced most cheaply in those countries in which manufacture is most highly developed.

②If the free-traders cannot understand how one nation can grow rich at the expense of (～を犠牲にして) another, we need not wonder, since these same gentlemen also refuse to understand how within one country one class can enrich itself at the expense of another.

③Do not imagine, gentlemen, that in criticizing freedom of trade we have the least intention of defending the system of protection.

④One may declare oneself an enemy of the constitutional regime without declaring oneself a friend of the ancient regime.

⑤Moreover, the protectionist system is nothing but a means of establishing large-scale industry in any given (いかなる) country, that is to say, of making it dependent upon the world market, and from the moment that dependence upon the world market is established, there is already more or less (多かれ少なかれ) dependence upon free trade. ⑥Besides this, the protective system helps to develop free trade competition within a country. ⑦Hence we see that in countries where the bourgeoisie is beginning to make itself felt (自らを印象づける) as a class, in Germany for example, it makes great efforts to obtain protective duties.

①自由貿易主義者が、産業の各部門のわずかな特産品を強調し、工業が最も高度に発展している国で最も安価に生産される日用品と比較しているのは、あまりにばかばかしいことなのです。

②ある国家が別の国家を犠牲にしてどうやって豊かになれるのかということを自由貿易主義者が理解できないとしても、それは無理のないことです。彼らは同一国家内でひとつの階級が別の階級を犠牲にしてどうやったら豊かになれるのかということも理解しようとしないからです。

③皆さん、自由貿易を批判しているからといって、私たちに保護貿易を擁護する意図が少しでもあるとは思わないでください。

④（現在の）憲法体制の敵であると宣言しても、旧体制の支持者であると宣言することにはならないのです。

⑤さらに、保護貿易制度は国に大規模な産業を確立するための手段、すなわちその国を世界市場に依存させる手段に過ぎず、そういった世界市場への依存が確立すると、その瞬間から自由貿易に多少なりとも依存することになってしまいます。⑥加えて、保護貿易制度は一国内において自由取引競争の発展を助長します。⑦それゆえに、ブルジョワがひとつの階級として台頭してきている、例えばドイツのような国では、保護関税の獲得に尽力しているのです。

① They serve the bourgeoisie as weapons against feudalism and absolute government, as a means for the concentration of its own powers and for the realization of free trade within the same country.

② But, in general, the protective system of our day is conservative, while the free trade system is destructive. ③ It breaks up old nationalities and pushes the antagonism of the proletariat and the bourgeoisie to the extreme point. ④ In a word (ひとことで言えば), the free trade system hastens the social revolution. ⑤ It is in this revolutionary sense alone, gentlemen, that I vote in favor of (～に賛成で) free trade.

①保護関税はブルジョワにとって、封建主義や絶対主義的政府への対抗手段であり、権力集中のための手段であり、国内での自由取引を実現するための手段なのです。

②とはいえ、一般的には現代の保護貿易制度は保守的であり、自由貿易制度は破壊的なものです。③自由貿易制度は、昔ながらの国家を破壊し、プロレタリアートとブルジョワの対立を極限まで推し進めます。④要するに、自由貿易制度は社会革命を加速させるのです。⑤皆さん、こうして革命を推し進めてくれるということだけが、私が自由貿易に賛成票を投じる理由なのです。

カール・マルクス
「自由貿易に関する演説」の背景

background

▶歴史を変えたマルクス思想

カール・マルクスは19世紀から20世紀にかけて生きた世界の人々に、思想面と行動面で最も強烈な影響を与えた人物のひとりだ。彼の思想に同調しない人間でも、マルクスが書いた『共産党宣言』や『資本論』という書物のタイトルは知っているだろう。彼は盟友のフリードリッヒ・エンゲルスと共同で『共産党宣言』を書き、エンゲルスからの経済的支援に頼りながら『資本論』を書き上げた。「自由貿易に関する演説」は、『共産党宣言』がイギリスのロンドンで刊行される40日ほど前に、マルクスがベルギーのブリュッセルで行ったものである。ただし、刊行された『共産党宣言』は執筆者の名前を載せていなかったから、演説した人物と『共産党宣言』の筆者が同一人物であることを知っていた人は限られていた。

マルクスがブリュッセルにいたのは、そこにいなければならない事情があったからだ。1760年代にイギリスで始まった産業革命による工業化は、1830年代を過ぎるとヨーロッパ大陸の国々に波及し、農業を中心とするそれまでの産業の形態が、各地で劇的に変化していった。失業や貧困に悩む人々も増大して社会問題になり、こうした人々と接触を持つ政治グループが地下組織などの形で存在していた。マルクスはそうした活動グループのひとつであった「正義者同盟」(後に「共産主義者同盟」と名称を変える)とつながりを持ち、論陣を張ったことから、政府当局によって1843年にまずフランスのパリへ、ついで2年後にはベルギーのブリュッセルへと「追いやられて」いたのである。結局ブリュッセルにも3年ほどしかおらず、1848年1月9日にブリュッセル民主主義協会で講演した後、翌年にはロンドンに「脱出」している。

▶「対立軸」を巧みに使うマルクス論法

カール・マルクスの論法は、常に対立軸を設定し、闘争を展開させるというものだ。この演説でいえば、まずは自由貿易主義者と労働者階級との対立軸である。イギリスの工業化が進んで農業人口と生産量が減った中で、イギリスは大量の農産物をヨーロッパ大陸の国々から輸入するようになった。このままでは自国の農業が打撃を受けると考えたイギリス政府は、ヨーロッパ大陸からの輸入農産物に穀物税という名称の保護関税をかけていたのだが、自由貿易主義者たちの主張が通って、穀物税が廃止された。マルクスは、ヨーロッパの人々にとって最も大きな関心事であったこの出来事を取り上げて、自由貿易主義者の主張が通って穀物税が廃止されたことが、労働者階級にとってプラスなのか、それともマイナスなのかを問いかける。

マルクスはまず、穀物法の廃止は労働者階級にとってプラスであるようだと言ってみせる。確かにイギリスの工場労働者たちは大陸から輸入した安い農産物を購入することができる。また大陸の農業労働者たちはイギリスへの出荷が増える分、収入が増える。「待てよ」とマルクスは言う。本当にその通りになるのだろうか。ここで興味深いのは、講演の中でマルクスが、労働者たちに議論をさせることだ。工場労働者と小売商人との会話、農業労働者と工場労働者の会話、農業労働者と小売商人との会話。こうした擬似会話の中で問題点が整理されていく。そして到達する「答え」は、自由貿易は資本の自由につながるもので、それは労働者階級のプラスには決してならないというものだ。なぜならば社会には常に「搾取する階級」と「搾取される階級」が存在し、資本は「搾取する階級」の手にあるからだという。この結論に対しては、大いに異論があるだろう。しかしマルクスが、こうした思想と論理を展開し、『資本論』を発表した時代には、人々の目には極めて新鮮、かつ大胆に映ったのだった。

▶マルクスと対談させてみたいあの人

マルクスの思想のもうひとつの大きな特徴は、運動論として社会の変化を捉えたことである。経済活動の変化に応じて、封建主義がまず資本主義に変わり、その後で資本主義が社会主義に変わる。そして資本主義から社会主義に変わる過渡期には、プロレタリアート階級による独裁の時期があるという理論だ。ロシアをはじめとして多くの国でプロレタリアート階級による独裁を実現すべく、「革命」が行われたが、理想の社会は到来しなかった。

経済学者たちは「マルクスとケインズを対談させたら……」と言う。しかしマルクスと対談させてみたいのはケインズではなく、むしろマックス・ウェーバーではないだろうか。同じプロイセンの出身ではあったが、エリートであったウェーバーに対して、マルクスはウェーバーが高く評価したカルヴァン派のキリスト教徒に改宗したユダヤ人の子であった。

謝辞

本書執筆にあたり、ご協力いただいた皆様に感謝いたします。

p.9～p.28　山中伸弥

p.63～p.88　アウンサン・スーチー

p.147～p.162　マザー・テレサ

p.163～p.180　マーティン・ルーサー・キング牧師

p.213～p.218　アルベルト・アインシュタイン

p.219～p.230　マハトマ・ガンジー

ＤＴＰ：ニッタプリントサービス
本文デザイン：ムーブ
カバーデザイン：重原　隆

〔解説〕
平野　次郎（ひらの　じろう）
1940年、東京都生まれ。国際基督教大学教養学部卒業後、コーネル大学政治学部大学院に留学。専門は国際関係論・国際文化交流論。NHKに入局、キャスターとして活躍し、ヨーロッパ総局長、解説委員などを務める。元学習院女子大学特別専任教授。
著書に『英語ものがたり』（中経出版/絶版）、『英語世界の漫歩計』（日本放送出版協会）、『アメリカ合衆国大統領と戦争』（青春出版社）など。

〔翻訳〕※演説の和訳
鈴木　健士（すずき　たけし）
1975年、千葉県生まれ。英国立バース大学・大学院修了。2002年FIFAワールドカップや2005年愛知万博など、国際イベントでの通訳・翻訳のほか、宇宙航空研究開発機構のウェブサイト、テレビ番組などの翻訳を行う。またTOEFLやTOEICなどの英語試験予備校の講師も務めている。
訳書に『オバマ勝利の演説』（中経出版/絶版）など。

- 付属のCDは、CDプレーヤーでお聴きください。
お聴きになった後は直射日光や高温多湿を避けて保存してください

改訂第2版　CD3枚付　英語で聴く　世界を変えた感動の名スピーチ

2020年2月15日　初版発行

解説／平野 次郎
翻訳／鈴木 健士

発行者／川金 正法

発行／株式会社KADOKAWA
〒102-8177　東京都千代田区富士見2-13-3
電話　0570-002-301（ナビダイヤル）

印刷所／株式会社加藤文明社印刷所

ISBN 978-4-04-604552-2　C0082